笑うかどうかに福来たる

お洒落に笑って大笑わ
馬鹿・・しいけど大真面目

小島　慶一

朝日出版社

冗談から出た真面目

笑い流すことは簡単。素《す》っ頓狂《とんきょう》で素《す》っ惚《とぼ》けが始まる前に、真面目笑子《まじめわらし》の真面《まとも》そうなことをまずお聞き頂きたい。

こんな新聞記事を見た。世界の15歳を対象に3年ごとに3分野の力を調べる経済協力機構（ＯＥＣＤ）の学習調達度調査「ＰＩＳＡ」。２０１８年度の調査結果が今月発表され、日本は読解力で平均点が落ち、順位も前回の8位から15位に下がった。文部科学省で……ＰＩＳＡの結果を議論した。まずデジタルの情報を読む力が不足しているとの指摘があった。「積極的にＩＣＴ（情報通信技術）で学ぶ必要がある。……」全問のうち、およそ7割がコンピューター用に開発されたものだ。（朝日新聞２０１９年12月23日朝刊）

何でもコンピューターという時代感覚が生まれて、それを支えとして行う調査結果に問題はあるものの、それなりに考えなければならない課題も含まれる。しかし国語読解力はそれぞれの言語の言葉の理解に関する力だから、これに関してはコンピューターとは別に、各々の言語が持つ「知識の掛け合い、絡み合い」が問題となる。これは所与の言語に内在する言葉の問題で、他の言語の介在することではない。コンピューター処理による結果は、言語の背景、事情などを無視して、画一的に調査、診断しても、結果はコンピューターに寄り添いやすい言語であればよい結果が出るということも考えられる。だから今回の場合、この結果が日本語の場合当然起こり得る結果なのか、或いは本当に読解力が弱体化しているのか判断はしにくい。日本語を見直すよい時が来たと思う。

私は日本語に関して、20年以上前から危機感を持っている。日本人は言語戦争に負ける。これでは日本人が日本人を忘れることになる。例えば巷にあふれるカタカナことば。日本語で言えるのに何故カタカナ語にして言うのか。英語に何か恩義があるのか。必要性と言えばいいものを、ニーズと言う。解諾《げだく》はまだ浸透していないが、インフォームドコンセントとかいっている。何故コンプライアンスと言わなければならないのか。今、コロナウイルスが世界を脅かす状況だが、マスコミは当然のごとく「トリアージ」という言葉を使っている。多数の被災者が発生した時に、救急搬送の優先順位のことであるが、「搬送順位」とか、日本人にわかる表現をして欲しい。ある限られた職場や現場においては、それが日常的かも知れないが、それは多数の日本人にとっては非日常的な俚言とも受け取れる。ことばの安買い、安売りは絶対にいけない。読解力がないということは、日本人同士で相手の心が読めないということに通じる。数学の問題が解けないという経験をお持ちだろうか。それは問題の意味が理解できないからだと言われる。私は学生のころ英語が好きで殆どの時間を英語に傾けた経験がある。今思えば何故かわからないが、国語の問題で、作者の意図することは何かというのを述べたり、選択したりする問題が特に不得手だった。小説を読む時間も無かったし、いい加減の年になっても、日本語の大事な語彙を知らずに、人前で恥をかくことがよくあった。会話に不安もあった。今になってみれば数学が本当に苦手だったのは当然だといえる。日本語を憶える大事な時期を粗末にしていた付けが回ってきたのだと納得したのは、50才も過ぎてからだろうか。日本語に興味を持ち始めたのは外国語を学び込んで、日本語の面白さ、豊かさに気が付いたからである。同時に日本語が危ないと危機感を抱くようになった。学生の頃の自分を思えば、今さら大層なことは言えないのだが、教師になって、大学のある授業で訳した日本語が「ピエールはあやまって皿を割った」というのが出てきた。前に居た学生が不思議そうな顔をしている。聞けば「ピエールはあやまって皿を割ったのですか?」最初私も解らなかったが、気がつけば「誤った」を「謝った」と捉えていた。学生が洒落と受け取っていたのであれば、なかなか語感（センスと言った方がいいかも。悟感と造語すれば世界は更に広がる）があると称賛したい。会話は思わぬところで中断する。これは国語力（語彙）に関係する。こういう日本人が増えたら会話は途切れて楽しくない。楽しくないといえばカタカナ語の使い過ぎだ。これは実際に、あるファッション誌に載った文章である。「この秋の、パリのプレタポルテコレクションのデテールは、肩のパッドとウエストラインのアンサンブルである。このルックスは、スクールガールズにポピュラーである。」もう20年以上も前のことで、雑誌の名前も憶えていないが、文章だけははっきり憶えている。日本語の国籍が危ない。何故こんな文章を平気で書くのか。日本語が恥ずかしい。日本は日本語を貿易の品と考えているのだろうか。外国語を輸入して、そして日本語も輸出して赤字・黒字の決済をしているとしたら日本語は超輸入赤字である。ことばは物と違って精神に侵入するから見えぬ武器である。危ない武器は慎重に、慎重に受け入れを検討しなければいけない。先の例文を日本語に訳してみるというのも変だが、「この秋の、パリの高級既製服新作発表会の詳細については、肩当てと腰の線の全体的調和である。この見た目感は女子学生に人気がある。」この飾り気もない、さりげない日本語と、業界用語とも思える日本語と、あなたはどちらが好きですか?

日本語に変えられないものは仕方がないが、必要以上に容認することは先行き心配がある。カタカナ語でも日常的に溶け込んで、浮かぶ像と内容が一致するものは使用に何の問題もない。特に最近、カタカナ語が多いが、そのたびに日本語に置き換えながら読んだり、聞いたりしていないだろうか。そんなカタカナ語を日本人が発音してもアメリカ人が聴いて理解できないし、結局カタカナ語は何なのか。はやり言葉は一過性でやがて消えてゆくものが多いので危険ではない。むしろそれは定着したことばの持つ底力であって、自然である。輸入語はともすると、日本人の精神構造を揺するから気を付けないといけない。逆に日本人が日本語を輸出して、相手の国の風土に傷を与えるようであってはならい。相互に根付いてその土地の文化・文明のような財産に寄与するならば言葉の流入・流出は必然であり、また時には一過性のものであってよい。外国語が必要な人は努力して習得すればよい。皆が外国語を学ぶより、日本人ならばまず日本語を学ぶべきである。

ところで最近の日本における外国語の流入の速さと浸透は深刻に感じる。カタカナ語の多くは英語から来ている。通信、医学、芸術……あらゆる分野に見られる。解らないカタカナ語を見たら日本語を確認することが必要だ。既に消化されて何の抵抗もない語は問題ない。もうそれは日本語だからだ。語彙が少ないから、日本語の洒落た文章を読んでも解らない。当然である。そんな不安定な状況の中で、今小学校から英語を義務として習得させようとしている。空恐ろしくさえなる。大事なことは、ことばと思考力を身につける時に、外国語が交錯するということは、子供にとって大脳に負担がかかり、生理的に大変悪い。こうした問題を識者達は、何故ものを言わないのか？脳科学者、英語学者、英文学者、外国語学者、更には言葉の研究機関である国立国語研究所……はこの問題をどう見ているのか。下手すればいつの間にか日本人が日本人の主体性を失い、身分証明が損なわれる。これをすぐさまアイデンティティを失うとすれば簡単だが、考える余裕を持って欲しい。この危惧は思うより早い時期に訪れるかも知れない。言葉を義務によって教えるのではなく、遊びの中で本来の日本語の面白さを見つけ出し、日本語を知の財産として粗末にできないことを見なおして欲しい。洒落、冗談は決して低俗ではない。言葉を知る道の嚆矢《こうし》として、まずは卑近《ひきん》に感じて欲しい。

前口上

お洒落と銘打って書き始めたものが纏《まと》まって、「捩《もじ》り遊び日本語」として上梓されてからしばらくになる。それからもそのお洒落気分は止まることなく、幸か不幸か戯《じゃ》れ気分とも重なって、第二弾を発射することになった。小説のような重い仕事をすることは向いていないので、軽いさわりのような、時には軽薄とも痛感するが、勇気を出した次第。だいたいそんなことを考えた時点で既に筆者の性格が表れており、軽はずみのそしりを免れない。はずみで走り出すと、もうどうにも止まらない♫ かって聞いたような言葉だが、年も取ってくるといつ、けつまづいて、つんのめるかもわからない。でも今は転ばぬ先の杖は欲しくない。だがいずれ、杖杖蠅《つえつえばえ》（ツエツエ蠅）になったとしても、我が蠅《はえ》（吾輩）は願ってる。昔、小林何とかという有名な俳人が「やれ打つな、蠅が手を擦《す》る足を擦《す》る」と認《したた》めたが、いずれそんな時の私は、毛も薄くなって「やれ打つな、ハゲが手を擦る足を擦る」（滅茶苦茶）というお願いの心境になっているかも知れない。ま、いつの時にも馬鹿なこと言ってと一笑に付さないで下さることを念じつつ……（筆者）

目次

1 夜空の星の恋愛事情

夜空を眺めていたら、一段と輝いている星が目に留まった。その隣に控えめに光っている星が居た。情に燃えたようなその星は、隣の控えめ星に満更《まんざら》でもないようだった。私は気になってちょっと尋ねて聞いてみた。「お前、好きなんだろう?」。「ええ」。「やはりそうなのか」。「それで名前は?」。「図星《ずぼし》です」。控えめ星の逆鱗りの星の様子が変だ。結局「図星」と張り合っていたようであったこの星は、ほどなく遠ざかり始めた。気になって名前を聞いたら「とりこ星だ」と。やがて渡り者になり、流れ星になったようだ。ところで、とりこ星は気付いていたのかどうかわからぬが、かれを慎ましやかに愛していた星が居た。残されたこの星は欲しい何かを失って消沈していた。つい名前を聞いてしまったのだが、「もの星（物欲し）でございます」。すっかり憔悴した彼女は痩《や》せて萎《しお》れて「干星《ひぼし》」になった。

図星　人の指摘などが、まさにそのとおりであること。
物欲しい　何か欲しい。
とりこぼし　勝てるはずの勝負に負けること。
干乾《ひぼ》し　食物がなく、飢えてやせること。

2 天の川は艶《えん》の川《かわ》（夏の夜話）

今では彦星という名で知られているが、彼が初めて天の川を渡って織り姫星に会いに行った時のこと。対岸に着く直前、彦星は見てはならぬ織り姫を見てしまった。月のきれいな夜だった。織り姫はたまたま沐浴中だった。会う刻を決めておかなかったのがいけなかった。彦星は慌てて舵《かじ》を切って向きを変えようとしたが時すでに遅かった。織り姫は恥ずかしさのあまり、岩陰に隠れてしまった。彦星は岩陰に向かって御咎《おとが》めなきようにと織り姫に恋（乞い）願ったのだが、その時に初めて自己紹介をした。当然自分の名前を告げて謝ったのだが、それを聞いた織り姫は、彦星の冴《さ》えに気を良くし、それからというもの毎年一度、彦星と会っているという。彦星はその時何と言ったのだろうか。どうぞ〈目こ星〉を宜しく!!

目こぼし　とがめるはずのことを、わざと見逃すこと。大目に見ること。お目こぼしは目こぼしの尊敬語。

年は過ぎ、やがて目こぼしの子を宿した織姫は、星（母子）手帳を持っていたのは当然だが、二人の間に生まれた「子星」はやがて巨砲（巨峰）でマスカットミサイルを撃ち、戦う星として知られ、武道に長《た》けた星として、「星武道」（干し葡萄）と言われるようになった。

3

夫は苦労している……?

世の中恐妻家は多いはず。妻に内緒で貯めたへそくりを隠すにも、妻は家の隅々までも知っているから、僅かの秘密の場所もない。妻の知らない金だから、夫の金は大事な物。しかも妻には禁物。それでふと思いついたのがトイレのあるもの。ひと工夫しようと考えたが水に流した。もたもたしているうちに妻に見つかった。夫のへそくりは難しい。似たような名前を冠したお寺があるが、そこは男性社会。おおっぴらにお金は貯まるかも。こんなこと言ってるとご利益はないだろう。ところで彼が思いついたというのは金隠《きん》しだったが、お金はお足というから足が生えている。ひと所にじっとはしていない。

金隠し　大便所の切り穴の前に設けたおおい。またそのように作られた陶製の便器。

4

危ない物作り

鉛筆、万年筆、筆など筆記具を作っている会社は、爆弾を製造しているかも知れないという噂があって、当局が調べている。更に宇宙衛星が密かに情報を把握している。ただ現実として、そのものができるまでに関係者は、必ずあることをしなければならない。それが怪しいのだ。何かって？そりゃ「書く実験」ということよ。

核実験　原子爆弾・水素爆弾などの核兵器の性能や効果を確かめるために行う実験。

5

美しく年を取る

気高い人を高貴な人という。生活習慣が違うのだが、だいたい年を取ってくるとこの類に入る人が多くなってくる。この人たちは定期的に会を開いては互いの親睦を深め、時には旅行したりするのが恒例となっている。こんな人たちは高貴恒例者だ。常に気高い御方たちと思いたい。だいたい高齢者という言葉自体、あの世と親戚のような響きがあるし、まして後期なんていうとそちらの家族の一員だ。あ〜あ、年を取るにつれ、忘却の家族が増えてくる。

後期高齢者　高齢者のうち、75歳以上の人のこと。

6

気持ちがひとつに定まらない

服に非常に興味がある女性が、服を買いに行った。洋服を見て回り、飽き足りず和服にも気が向いた。ずらりと並んだ和服を見て、「うわぁ〜、見て見て、着物だ!!」あれもいい、これもいいと言ってなかなか決心がつかない。店の人がこの女性の性格についてひと言つぶやいた。「うわぁ着物」

浮気者　浮気な人。心の移りやすい人。多情な人。

7

こんな医者が居たら……

優れた医者はたくさんいる。ある真面目な医者が居た。患者とは真剣に向き合い、大層評判がよかった。一方、占いが好きで患者の未来を占った。不思議と当てた。科学と神秘を併せ持つこの彼のことを、人々は真面目な医者と占いを同時に表すひとことで言った。「マジな医師」

呪《まじな》い師　まじないを業とする人。

8

何事も控えめに、控えめに

血縁の近い親族を近親者という。その中で誰かが亡くなって遺産を分ける話が出た。そんな時、縁が遠いのに名乗り出て騒動を起こす者が居た。親族は言った。「お前は不近親だ」。

不謹慎　つつしみのないこと。またそのさま。ふまじめ。

9

正しい考えを持とう

今から40年も前になるが、この国の人たちは皆、間違ったことは言わなかった。しかもここの国の人たちは好んで紅茶を作り、飲んだ。すべての人がそうだとすると、世の中住みにくくなるが、悪事は多少あって人は落ち着くのかも知れない。ところでその理屈に合った国はというと?「正論」とか言ったたな。

セイロン　インド半島南東、インド洋にあるセイロン島を占める民主社会主義共和国。1972年スリランカ共和国に改称し、英連邦加盟国となり、1978年から現国名。

10

言葉の発音は難しい？

外国語の読み方が解らないときは、発音記号に頼れば何とか読める。だがこの記号を知らない日本人が、ある国を訪れる際に、その国の名前からふと用意した日本語を用いたら何とか通じた。えっ？どこの国へ行くので何を用意したのかって？「カナだ」さ。

カナダ　北アメリカ大陸北部を占める国。

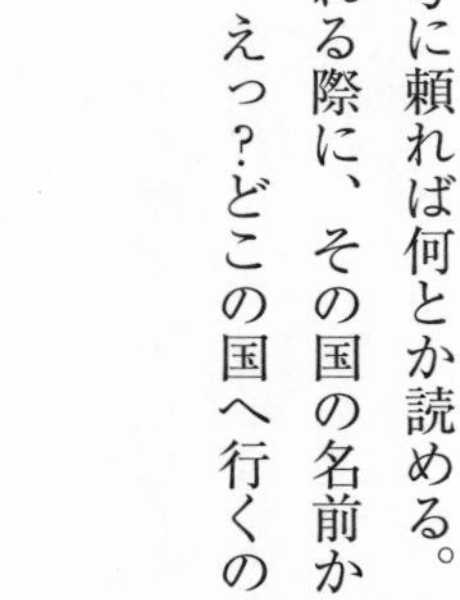

11

国の個性料理

日本ではどこの町に行っても和食の定番といえば寿司を思い浮かべる。ところで外国で鳥の煮込みが美味しいと評判の町はどこだーと聞かれれば、……「鳥煮だーど」しかないだろ？

トリニダード　ボリビア北部の都市。

12

食べ方事情

日本ではあるのかも知れないが、まだ見たことがない。びん詰めのハチミツよりも、もっと直接的にミツバチを缶詰めにしているところがある。そんなところってどこだ。「蜂缶《はちかん》」とか？

バチカン　イタリアのローマ市内に位置する、ローマ教皇を元首とする世界最小の独立国。人口829人（2010）。

13

非常食？

世界のある山での話だが、日本人登山家がリュックサックの中に必ず持っているという。日本人は日常的にパンに挟んで食べているが、健康にはいいという。ただその山では貴重品で疲れた時に、疲労回復するというので欠かせないという。日本人登山家に「そのものは何ですか」と聞けば、何処の山だかすぐわかるという。試《ため》しに聞いてみた。答えは即座に「アンです」

アンデス　南アメリカの太平洋側を走る山脈。

14

理由は弦因?

カントリー・アンド・ウェスタンにはバンジョーという楽器が登場する。これの名演奏者が居たのだが、人気を博して多くの女性にモテモテだったゆえに、結婚を何度か繰り返し、波乱に満ちて穏やかな人生を送ることができなかった。世間によく聞く話だが、波乱バンジョーとはよく言ったものだ。弦を弾《はじ》いたのが仇《あだ》となった。では何故バンジョーを弾いたがゆえに離婚になったのだろうか?……「爪弾《つまび》いた(妻引いた)」んですね~。

爪弾《つまび》く　弦楽器を指先ではじいて鳴らす。

15

遊びも大事

原優《ゆう》と伊勢崎秀《しゅう》は仲の良い、二人合わせて優秀というこのために考えられた、こじつけとも受け取られかねない出来すぎの設定幼馴染《おさななじみ》だ。まあ聞いて欲しい。ある時期から二人とも人と口を利かなくなった。性格のよい二人だったが、双方の親が勉強に対し厳し過ぎて反発したのだった。それで二人は家出をした。気分転換のためだが、親に対する仕返しでもあった。こうした仕返しの形を世間では何と言うか、もうお分かりだろう。「原伊勢（腹癒《い》せ）」というようでございます。

腹癒《い》せ　怒りや恨みを他の方に向けてまぎらせ、気を晴らすこと。

16

言葉を作る

へちま（糸瓜）はウリ科の蔓性（つるせい）の一年草である。ある本で読んで記憶しているのだが、江戸時代には「と瓜《うり》」と言われていたらしい。これが、いろはにほへとちりぬる……と進む時に、「と」が「へ」と「ち」の間にあることから、へち間、即ちへちまになったという。これは信じていいと思う。これからが怪しいことと覚悟して頂いて、江戸時代に遊女が自分のことを「わちき」と言った。この「わちき」をある男性が使ったものだから評判になり、彼の噂が広まった。「わ」というのは、いろはに……と進むと、「を」と「か」の間にあったもんだから、「をか間」なんてどうだろう。

おかま　男色。また、その相手。

17

魚のフグは恋をしない？

フグ同志は互いに好きになることを避けるという。相手の毒舌で傷つくからなのだろうか。或いは相手の腹黒さを知っているからなのだろうか。でも自分だって何なのだ。同じ穴のフグじゃないか。まあそれはどっちもどっちだから両成敗ということにして、双方が何を感じているからそうなるのかというと、「フグ（不具）愛」

不具合　状態・調子がよくないこと。また、そのさま。

18

自分の意志ではどうにもならない

1

彼には好きな女性がいた。しかし彼には問題があった。心の問題ではなく、年も中年になっていて肩が痛かった。よくある話だ。ある日彼は病院に行った。医師からは「痛くても我慢して腕を使わないといけません。」と言われた。とはいっても痛いのは我慢できず、セカンドオピニオンで別の病院に行った。そこでは「痛い時には動かしてはいけません。」彼はどうしてよいのか判らなくなった。それで彼女に相談したら、つれなく折衷案を考えてくれた。「ほどほどに動かせば？」と。彼はますます判らなくなった。彼の今の状況を一言で言うと「肩重いの、やる背なし」

片思い　自分のことを思ってもいない人を、一方的に恋い慕うこと。

やるせない（遣る瀬無い）　思いを晴らすすべがない。せつない。施すすべがない。どうしようもない。

2

それで彼は自分を肩（形）無しな人間だと思った。でもやがてそのままではいけないと考え直し、思い浮かんだのは痛さに立ち向かう根性、つまり肩（片）意地であった。そう決めてからというもの、それ以後調子がだんだんよくなった。今までの苦労は何だったのか。

彼は自分が独り相撲して負けていたと思った。自分が常に自分にかけていた技は、つまりは「肩すかし」だった。

肩透かし　相撲のきまり手の一。

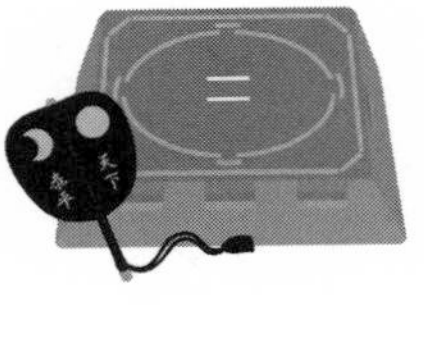

19

かわいい子猫ちゃん？

顔だちはおとなしそうだが、気の強い癖のある猫が居た。本性を隠して、飼い主に対しては猫なで声を使うものだから可愛がられたものの、周囲はよく知っていて敬遠した。飼い主は可愛くて仕方ない。それで周りの友人たちがその猫に、身に着けさせて個性を更に出すようにとある物をプレゼントした。それは何？……「猫かぶり（帽子）」

猫かぶり　本性を隠して、おとなしそうなふりをすること。また、知っていて知らないふりをすること。また、そういう人。

20

間違えて町が異《い》

町が三つ隣接して、それぞれ田町、地町、津町、ひと呼んで「たちつ」地区があった。更に「てと」地区があれば、でき過ぎだ。深入りはやめよう。それである人が田町に行くつもりが、道が入り組んでいたため、着いたらそこは津町だった。それでもまだ田町に居ると思っている彼のことを、人は「そこ津者《つもの》」と呼んだ。

そこ津者　（そこは津だよ、と誰かが教えたけれどもう遅かった）
粗忽者《そこつもの》　そそっかしい人。おっちょこちょい。

21

雪が降ると……望みが消える?

シャンソンで雪が降るというのがあるが、フランス語ではTombe la neige.（トンブラネージュ）という。「雪は降る。あなたは来ない……」結末は淋しい。それで雪の日に宝くじを買うと、「雪は降る。幸運の女神は来ない……」何やら当たらぬ予感。宝くじはフランス語ではイタリア語由来のtombola（トンボラ）が使われる。それで当選して札束が降るというのをトンボラネージュという……ことは駄洒落。それでこれからが本題。雪の日に生後間もない子豚たちが、感極《きわ》まって、嬉しそうな顔をして、小屋から逃げた。「雪は降る。子豚は来ない……」やはり子豚たちは戻って来なかった。人々は言った。「豚面《とんづら》ネージュ」

とんずら　逃げること。ずらかること。

22

販売力は衰えず？

ある不評の団体が、商品を販売する会社、即ち販社を設立した。時々不祥事を起こしたのだが、そのたびに立ち入り検査があった。やがて会社は立派に成長した。それまでたび重なる改正があって会社は大きくなったのであった。そのエネルギーは力として大きいものだった。小さかった販社が改正を繰り返し、発展したそのエネルギーに対して、世間ではその力に対して何を感じたのだろうか？そう、販社・改正力。これを続けて言うと……怖《こわ》っ!!

反社会勢力 暴力や威力、あるいは詐欺的な手法を駆使し、不当な要求行為により、経済的利益を追求する集団や個人の総称。

23

そんなに急ぐことはない

石鹸で手を洗っていたら、電話が鳴った。泡だらけの手も拭かず、慌てて走って行って受話器を取った。何の応答もない。気が付いたらテレビの電話の場面の音だった。この人は「泡《あわ》手者《てもの》」だった。

慌て者　落ち着きがなくそそっかしい行いをしでかす人。

24

思いがけない所に見つけた

洗浄剤には石鹸や合成洗剤があるが、すべての材質に対応する万能な洗浄剤が開発された。そんなのは見たこともないし、これからも出会うことはないだろうというほどの優れものだった。ところがそれが直ちに世に出ることはなかった。極めて慎重なこれの開発者が、成果発表の余地を残し、どこかに大事に片づけて、別の急ぎの研究に打ち込んだためだった。ある時思い出して探したが、どこに置いたか記憶にない。やっと見つけたその場所は何ということない研究室の片隅だった。彼はその時何と思っただろうか?ああ、「洗剤一隅」にあり。

千載一遇　千年に一度しかめぐりあえないほどまれな機会。

25 自己審判　恋する心は衰えず

1 年を取っても男女の仲は、若い時と変わらない……と顧みながら現実を思う。あの頃は会った瞬間に胸ときめいて、好きになる。ひと目惚れ。稔りはなくても、張りある人生。今、年老いて体が自由にならなくても、気持ちだけは衰えず、動悸はあっても不整脈。張りがあるのかないのか、そんなこともわからずに恋心は持っている。そんな状態を「老い惚れ」とか言って……

老《お》い耄《ぼ》れ　老人が自分を卑下していう場合や、老人をののしっていう場合に用いる。

2 若き日の白熱は、やがて老いて落日の深紅《しんく》。今する恋はどんな恋、それは「老い落の恋」

老いらくの恋　年老いてからの恋。」昭和23年（1948）、68歳の歌人川田順が弟子と恋愛、家出し、「墓場に近き老いらくの、恋は怖るる何ものもなし」と詠んだことから生まれた語。

26 人生にはいろいろな選択肢あり

東京大学は知の集まりだから、キャンパスはもちろん、周囲の雰囲気も落ち着いて、身近な世間話で満ちている観光地とは趣が違う。夜になれば辺りは薄暗く、きっと学生は早々と帰宅して勉学に勤《いそ》しむのだろう。学生は俗世間とは距離を置き、卒業までを有効？に過ごすのだろう。楽しい日常を知れば別の選択肢もあっただろうが、そうした生活に慣れてしまった学生が大学院に進んで更に大学で暮らしたいという気持ちもわかる。卒業式の日にそんな学生にある人が皮肉を込めて質問した。「東大もっと暮らし」たい？

灯台下《もと》暗し　灯台のすぐ下は暗いところから、身近な事情はかえってわかりにくいたとえ。

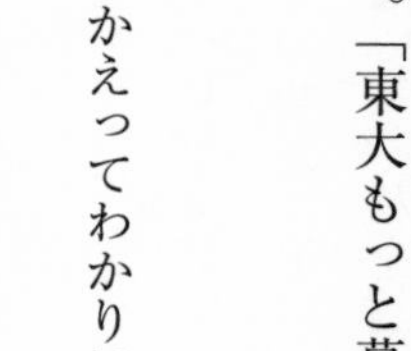

27 人工知能は人間を超えるか？

ＡＩ（人口知能）は賢い。人間の能力をはるかに超えている。瞬時にして計算できるのは脅威《きょうい》である。そのようにできるように人間が仕込んだのであるから、機械から見れば人に利用されているわけで、機械は馬鹿である。でも人はその能力に追いつかない。ＡＩはまず殆ど間違わない。ところで人間は間違うことがしばしばで、それを認め合いながら生きている。この柔軟性の素晴らしさ。だが人間の能力はまだ青二才。今や大学はＡＯ（青）入試が盛んで、これを経たまだ青い学生たちがＡＩを学び、いずれＡＩを凌げるのか？そしてこのＡＩから人間は何を学ぶか？ＡＩだけではことが解決しないことを人は知るだろう。心と言葉、青二才がＡＩを超える？こんなことは昔から分かっていた。賢人は「ＡＯ《アオ》はＡＩ《アイ》より出でてＡＩ《アイ》よりＡＯ《アオ》し」と言って例えた。

青は藍より出でて藍より青し（出藍の誉れ）　弟子がその師よりもすぐれていること。

28

頭のいい古代人

古代人は恐竜をペットにすることができたであろうか？当然、ある種のものが飼いならされていたと推測される。現代の象のように体が大きくてもおとなしくて、人寄りのものは居たはずである。頭を使って、ある策を練れば、現代も当時も変わりはない。古代人は恐竜を取り込むためにある策を使った。「怪獣策」とか言って。

懐柔策《かいじゅうさく》　うまく扱って、自分の思う通りに従わせること。

29

悪くはない画風

1

姉は絵を描くのが好きだ。そしてモネが好きで、画風も何となく似ている。だがモネは睡蓮を描いたが、姉は別の花を描いた。それはアネモネ。ある日展覧会に出展した。見学に来た人たちが、姉の絵を見て、モネに似ている。「悪くはないけれど……」それで言った。「いいかモネ」。

モネ　フランス印象派の代表画家。同派の呼称は、その作品「印象―日の出」に由来する。ほかに「睡蓮（すいれん）」など。（１８４０〜１９２６）

2

そうしたら別の人が言った。「この描き方はモネに似せている。だけどこれは……」と言って同時代の代表画家の名前を言ってシャレ込んだ。「ものマネ」じゃん？

マネ　フランスの画家。明るい色彩と平面的な構図で都会感覚あふれる絵を描き、印象派の誕生に大きな影響を与えた。「草上の食事」「オランピア」など。（１８３２〜１８８３）

30

通じない会話

鳥同士が会話をしているということをご存知だろうか。旅行をすると車窓から見える水田に、シラサギが二羽いるのは癒される。ところで人に話し上手、話し下手があるように、鷺《さぎ》にも同様のことがあるに違いない。二羽の距離が幾分遠いのが気にかかる。話がうまくいっていないのか？話し上手はヘラ鷺《さぎ》といったら、ヘラず口とたたかれるので、控えよう。だが鷺は種類によって性格がかなり違うようだ。ある種の鷺の雄《おす》は、話し上手だが、自己主張が強く、まず自分を押し出す。このことが重要なのだが、仲間を騙《だま》すことくらい平気だという。名誉のために言っておくが、ヘラ鷺のことではない。ただその鷺は人前に姿を見せないので全容がわからない。でも辞書にははっきりと出ている。そう、「俺俺鷺」だ。

オレオレ詐欺　「オレだよ、オレ」と子供や孫のふりをして高齢者などに電話し、事故で金が要る、サラ金の取り立てが厳しいなどとだまして現金を架空の口座に振り込ませる詐欺。また、親族のほかに警察官や弁護士に成りすます場合もある。平成15年（2003）頃から多発。

31

セクシーという言葉には気をつけろ

筋肉トレーニングの施設で、ある女性が推奨された訓練法を実践した結果、腹部のだぶだぶ肉がきれいに落ちて、くびれができた。そこでトレーナーが言った。「セクシーになった」。女性は喜んだがふと思った。腹部でなければよかったと。腹がセクシーになったって、それ腹セク?褒《ほ》めてるような、嫌《いや》がらせしているような、どちらもハラ(孕《はら》)んでる?

セクハラ　性的いやがらせ。

32

やりくり3年、歓喜8年

どこかで聞いたような……?桃や栗は3年で、柿は8年で実をつけるというが、やりくりをうまく3年続ければ、歓喜はそれ以後、倍以上の8年も続くという。つまり3年かけて相手の勘ぐりをうまくすり抜ければ、やがて自分の身に付くという、いわば家庭内の福利厚生みたいなものは、主婦ならば誰でも心得ている。平素のやりくりの結果として、歓喜あり。それは「平素繰《く》り(へそくり)」とか言って、主婦に脱帽。

臍繰りがね　主婦などが、他人に知られないように少しずつためた金。

33

良し悪しの心持て!!

ある著名な女性芸術家が、街なかの無名の安い場所を借りて、個展を催した。ギャラリーに集まった見学者から祝いとして酒が持ち込まれ、ちょっとした粋なスピーチをして、皆で楽しくオープニングは盛況であった。彼女は飲み過ぎたか、多少羽目をはずした。最後にあまり見覚えのない参加者から祝儀を出されて受け取った。初日から大盛り上がりで彼女は喜んだものの、場所がギャラリーだけにあとで心配した。「ギャラ飲みだったかしら?」

ギャラ飲み　「ギャラ飲み」とは、男性から女性に対して謝礼(ギャラ)が支払われる飲み会のこと。謝礼はタクシー代として支払われることもあるため、「タク代飲み」とも呼ばれる。経営者や富裕層の男性による飲み会に参加することができ、短時間で効率よく稼ぐことのできる、最近人気のアルバイトのひとつ。(ネット:ギャラ飲み　一部修正)

34

無届け盆踊り

夏の風物詩だが、どこかある地方の村の鎮守の森で、盆踊り推進会と称して踊り興業があった。もちろん地元の参加も可能であった。あいにく雨で大会が流れると思われた。ところが日が落ち、暗くなる頃、急に雨が止んで大会は開催されることになった。露天商が、設置していた店を開き始めた。人が集まって来た。結局、雨が止んでから、そこで始まったのは、「止み（闇）営業」だった。

闇営業　「事務所を通さない営業」という意味であるため、例えば芸人自身の地元の祭りに参加して謝礼金を貰ったり、友人の結婚式に個人的に依頼され参加して謝礼金を貰ったりすることも、上記の意味に当てはめれば「闇営業」に含まれる。また、「反社会的勢力（闇社会、闇組織）から請け負った仕事」という意味で使用するのは誤用である。（ネット：闇営業とは）

35

燃え尽きた腹の内

太っ腹の男が居た。ある時仕事に失敗し、やけのやん八になった。太っ腹ゆえに財産をすべて叩《はた》いて復興を期した。だが運命の女神は現れず、すべてを失ってしまった。彼は呆然《ぼうぜん》と立ち尽くした。気が付けば、そこは「自棄《やけ》の腹」だった。

焼け野原　一面に焼けて荒れはてた地域。

36

本物は……？

和服の着方で、左の衽《おくみ》を上に出して着ることを右前《みぎまえ》といってこれが伝統的だが、ある時美男美女カップルが、着物姿で歩いていた。外国人のようだが、完全な日本語を話していた。恐らくハーフに違いない。だが着物を見れば右の衽《おくみ》が上に出ていた。時代が変わればこうした着付けも許されるのかと素人は思いがちだが、着物通からすれば、彼らの着付けはどう映る?まあそのー、「二世者」だからしょうがねぇー

偽者（物）　本人に見せかけた別人。（本物に似せてつくった物）

37 江戸の土産

1　江戸時代に参勤交代があったことは誰もが知っている。在府勤務を終えた大名が、自分の領国に戻る際、将軍から土産として小さな置物を頂いた。粋な？はからい。「殿様帰る」だった。

トノサマガエル　アカガエル科のカエル。体長5～9センチ。

2　領国に戻る途中、宿場の宿で気が付いた。将軍から頂いた置物を江戸に忘れてきたことを。直ちに奴《やっこ》に取りに行かせた。その時大名は返礼の品として奴に同じような置物を持たせた。冴《さ》えた殿が持たせたものは……「ひき帰る」。これが通じたかどうか、将軍はケロっとした顔で受け取ったとか。

ヒキガエル　無尾目ヒキガエル科の両生類。体長10～15センチ。

ついでに言おう。殿が借りたその宿には、「ヤドカリ」の置物があったとか。

38

たいしたもんだ

あるスーパーで盗みがあった。店員が追いかけて窃盗犯を捕まえた。すぐに警官が来て、余罪を調べるために犯人の家に行った。部屋には盗んだ商品がたくさんあった。警官はその盗品を見て犯人に言った。「お前もそうだけど、これらの品々をお前は何と思っているんだ。」犯人には難しくて返事のしようがなかった。警官が言いたかったことは「ただ物じゃない」。言われてみれば、その通りだ。

只物《ただもの》　無料の物
只者《ただもの》　普通の人

39

好きな者にはたまらない

車の好きな男（カーマニア）が、古くなって使用不能となった車を、自分の好みに応じて改造し、使用可能にした。車検はもちろん通った。そのようやり方を世間では、惜しみなく言う。「廃車復活」

敗者復活　負けてもう一度チャンスを得ること。

40

香りを極める

香道という芸道がある。香木をたいて香りを楽しむものだが、ここは香水の話。香水に興味ある男が、皮膚につけるとどんな香りになるのかを研究し、香水と人との関係を、歴史的、民族的、男女間など多方面から考察し、大衆が興味あるような小説を書いた。多くの読者の心を掴み、やがて聴き慣れないがある文学賞を得た。「体臭文学」って聞いたことありますか？何か臭そう。

大衆文学　大衆の興味を主眼とし、その娯楽的要求にこたえて書かれた文学。

41

道を誤った？

ある政治家が一期、二期、三期、四期と当選したが、五期目の選挙で得票数が伸びずまさかの落選。遊説に奔走したが、結局空振りに終わった。しかし彼は料理が上手で、女房に代わって台所に立つ良い亭主だった。落選以後、人は彼のことを少々皮肉って呼んだ。何とも可愛そうに「五期振り亭主」だった。

ごきぶり亭主　やたらと台所に入りこみたがる夫を揶揄していう語。また夜中に台所でこっそり食べ物をさがす夫のこと。

42

表現しずらい？関係

愛子（まなこ）は海鼠（なまこ）が好きだった。海に来ると愛子《まなこ》は必死に海鼠《なまこ》を探した。愛子の様子は、目を赤く張らすほど真剣だった。海鼠は逃げようとしたが逃げ切れず、結局、海鼠は愛子に捕まった。海鼠は愛子の何に負けたのか？それは「血愛子（ちまなこ）」だった。

血眼（ちまなこ）　他のすべてを忘れて一つの事に熱中すること。

海鼠（なまこ）　ナマコ綱の棘皮（きょくひ）動物の総称。すべて海産。

43 英語は日本人同士が一番通じる？

日本人とアメリカ人

I am I. ……Yes, of course you are you.…… No, I am I. …… What ? You are not you ?

…… No, I am not you. I am I. ……　?.?.?.

日本人と日本人

I am I. …… Ah, you are I, …… Yes, I am I. …… I am you. Nice to meet you.

日本人の愛《アイ》と優《ユウ》の会話だった。

44

感心すべきか、恐れるべきか？

マラソンは長距離走であるが、距離によって中距離、短距離がある。それぞれに指導・担当者がつくが、ある有力な中距離走者に有能な担当者がついた。その人は敬虔なるキリスト教徒で、試合当日の日曜日、試合が始まる直前に、試合勝利を念じ弾道弾のように急いで教会のミサ会場に入った。その様子を見ていた人びとは言った。「中距離担当ミサ入る」

中距離弾道ミサイル（IRBM） 射程が2400〜6000キロの戦略核ミサイル。

45 発声を可能にする？

1 発声練習で、ド、レ、ミ、ファ、ソ、ラ、シのうち、ミとソの音程が少しずれる。その二つの音の出し方を知るために良い飲み物があるという。ヴォイストレーナはこれを勧めるという。「ミソ知る」なんて、ほんまかいな。

味噌汁　発声の効果になるかどうかは判らぬが、健康の効果にはなる。（筆者）

2 その結果ミとソは音程がずれることなく出るようになったが、全体的にどこかが変だ。おかしい音は？「ドレ？」

46

さすが凝《こ》り性《しょう》

曇天の反対は晴天だと思うが、これを「てんどん」と言った男が居て、まさにどんてん返しだが、その人は天ぷらやの息子だった。彼は半纏《はんてん》を裏返しに着るといった粋な着こなし?を した。半纏に限らず着服にはうるさかった。人は彼のことを流石《さすが》天ぷらや、と言った。何故流石なのか?「ころも」を気にするくらいだからね。

衣　衣服。揚げ物や菓子などの外面をくるんだり、まぶしつけたりするもの。

47

仇《あだ》となるか、見世物か？

「乱れ」という言葉は、上品さを欠くイメージが先行するが、「乱れ髪」という言葉は、ファッション性のあるイメージが伴う。悪くない。ある時、意図的に乱した髪をひけらかし、ファッション気取りで歩いていた男性が、傘もささずに雨に打たれた。ちょうど梅雨の頃だったが、乱したそのファッション髪は、さにあらん、更に乱れて妖怪となった。見ていた人は思わず笑ってしまった。この天からの恵？を何という。頃が梅雨時だから、「さ乱れ」っちゅうところかな。

五月雨《さみだれ》　陰暦5月ごろに降り続く長雨。梅雨。つゆ

48

美しいものには気をつけよ

時は江戸時代。5月の中ごろだった。夜道を一人の颯爽《さっそう》たる武士が歩いていた。身の丈ほどの花咲く木々が、街道筋の両側に並んでいた。季節からいうとツツジだろうか。しばらくして、ふと木々の間から妖艶《ようえん》な女たちが現れ、その男を取り囲んだ。花の精にしては怪しい。だがその時、彼は一瞬ひらめいた。花の精が自分を狙っているのかも知れない。何故そんなことが判ったのか?幸せな男だ。花の「サツキ（殺気）」に囲まれた。

サツキ　ツツジ科の常緑低木。

49

勝負の結果は初めからわかってる?

将棋の名人が居た。対戦の際に先手を決めるじゃんけんをした。名人は自信ありげにパーを出し、相手は控えめにグーを出した。勝負が始まった。結果は名人が負けてしまった。もともとこの勝負は初めから決着がついていた。それは対戦前の二人の態度に関係していた。両者の態度を分析してみよう。名人は手の内を読まれていたし、（手を開いてしまった。パー）相手は手の内を読まれなかった。（手を閉じていた。グー）じゃんけんはグーに限るか。Oh, good!

50

大物は人の心が読めない？

花火製造業界のドンと言われた男の造った花火が、大会最後に紹介され打ち上げられた。大成功を納め、見ていたドンは、喜んでいた仲間職人たちをよそに、「打ち上げは終わった。さあ引き揚げだ。」職人たちは聞いた。「打ち上げはこれで終わったんすか？」職人たちの心に去来したのは、どっちらけの「ドン引き」だった。

ドン スペイン・イタリアなどで、男性の姓または姓名の前につける敬称。「――キホーテ」「――ファン」「――ジョバンニ」首領。ボス。「政界の――」

ドン引き 「どん」は強意の接頭語。だれかの言動でその場の雰囲気が急にしらけること。

51

殿は優しかった

鶴は千年、亀は万年という。ある気の弱い、優しい大名が長寿を願っていた。鶴を飼うことは難しいので、亀を飼うことにした。十吉《じゅうきち》という男に亀の世話を頼んだが、彼の名に合わせて十匹の亀を飼うことになった。ところがある時、その十匹の亀が居なくなった。十吉は困った。殿の気にする寿命のこととて、黙っているわけにはゆかない。そこで罰を覚悟で恐る恐る申し上げた。そのとき殿はしばらく考え、出した結論は「十《と》亀《がめ》無し」

咎め無し　罰無し

52

男と女

ある仲のいい夫婦が居た。だが夫には浮気癖があり二号を囲っていた。ある時、妻に人と打ち合わせがあると言って出掛けた。妻は何か様子がおかしいと思い跡をつけた。二人がホテルに入るのを見た。打ち合わせにしては時間がかかると思い、部屋に乗り込んだ。二人はねんごろの最中だった。それで妻は女に言った。「何しとった?」女はその時さりげなく言った。「あら、寝とったんよん」

寝取る　他人の配偶者・愛人と情を通じて、自分のものとする。

余談だが、帝国ホテルという立派なホテルがある。ローマ字で書けば Teicocu とか Teikoku となるだろうが、これをフランス人が読むと笑い出す。フランス人はこれを[tɛkoky]と発音する。これは T'es cocu.（お前は寝取られた）という意味だ。「寝取られホテル」ということになるのだが、言っておくけれど、帝国ホテルは格式ある、立派なホテルである。

53

出身地を当てる

三崎という名の男が居た。とても慎重な人で、普段から歩き方が他の人と違っていた。石橋を叩いて渉るというたとえに似て、ゆっくりと、足を地面にこすり付けて歩いた。まるでつま先が見えない能を演ずる役者のようであった。その姿は神々しくもあり、どこの出身かと人は噂した。出雲の国か、高千穂か、いやいやその他第三国か?結局この人は何処の国の三崎さんと言われただろうか?摺り足が効いたようで「四国の足摺りの三崎さん」

足摺岬　高知県南西部、四国最南端の岬。

54

男はつらい？

若い男前が居た。色彩感に優れ、絵を描いていた。同時に音感も良く、ピアノを弾いていた。親からの遺伝と言われたが、確かに父親は画家だったし、母親はピアノ教師だった。こんなにうまい話となったが、まさに棚牡丹《たなぼた》（棚から牡丹餅《もち》）男だった。生れは七夕の日だったとか。馬鹿馬鹿しい事言って申し訳ないけれど、まあ捩り遊びのついでに、こんな道草をしてしまう、ご勘弁を。それで多くの女性に騒がれて、浮き名も流し、いじられて、付けられたあだ名は何だった？色彩感も音感もいいので、「色音子《いろおとこ》」。語りが長い割に答えは単純だった。

色男　顔だちのよい男。情夫。好色な男。

55

戦場無き居場所はない

1

若い男女が結婚した。男は一歩外に出ると戦いだ。いつも鎧《よろい》を身に着けて気持ちの落ち着く暇がない。家に戻れば味方だけだから、鎧をはずすことができる。と言っているうちが新婚か？やがて家に居る時も、鎧がはずせない時が来る。これは世の掟《おきて》、不変の真理だろう。その時のために、男はいつだって鎧を磨いておかねばならない。錆《さ》びついたら奥方との戦いにも敗れてしまう。そんな光る鎧を何と言う？「ぴ甲冑《かっちゅう》」男は一生戦い続ける。

ピカチュウ　ポケットモンスターシリーズに登場する８０９種のポケモンのうちの一種（ネットより）

2

そのころになれば奥方も強くなり、そこは女性らしく鎧をつけるが、角《つの》だけは隠してもらって、「甲冑者（カチュウシャ）」に止めて頂きたい。

カチュウシャ　ヘアバンドの一。

56

男気《おとこぎ》の失敗

若い男女が食事をしていた。食事を終え、レジで彼が男気を示した。彼は皮の財布から手の切れるような一万円札を出して、「釣りは要らない」。いいところを見せたかったのだが、店員が済まなそうに「あと五円足りないのですが……」この男、釣り銭どころか、銭《せん》かた無しの、形無《かたな》し男になった。五円（御縁）が無かったのが、命とり。二人は分かれた。

為《せ》ん方《かた》無い、詮方《せんかた》ない　どうしようもない。やりきれない。

57

勝負がつかない

底なし沼があるという。深さは何メートルあるのだろうか。土地の人に聞いてみると、けげんな顔つきをして「底（そこ）までは知らない。」と言う。だいたい底なし沼に水があるのがおかしい。ややこしくなるので話はそこ（底）まで。結局底なし沼の話はどうなった？「水が入った」

水入り　相撲で、取り組んで勝負がつかず長時間たったとき、勝負を一時中断して休ませ、力水（ちからみず）をつけさせて、前と同じ形に組んで取り直しをさせること。

58

返り討ちが仇となって笑われる

理屈に合わず不利と判っているのに、喧嘩をしかけて逆にやられてしまったチンピラが、悔しさあまりに殴り掛かったが、反対にあっさりと倒されてしまった。周囲の者たちは茶番劇だったと笑い転げるほどだった。この仕返し男の体《てい》たらくは「報復絶倒」だった。

抱腹絶倒　腹をかかえて、ひっくり返るほど大笑いをすること。

59

夢を食べる？

夢を食べて生きている動物がいるという。幸せそうだ。ある時、夢を食べすぎて、昼も夜も頭の中は夢だらけとなった。夢は大体において目を開いていては見ることはできない。この動物は目をつむったままだ。この間、何をしていたのかって聞かれれば、「獏《ばく》睡」

獏　1．……森林や水辺のやぶにすみ、草食性で、水に入って敵から逃れる。……

2．中国の想像上の動物。……人の悪夢を食うといわれ、その皮を敷いて寝ると邪気を避けるという。

爆睡　〈若者言葉〉起こそうとしても目が覚めないくらい深く眠ること。

60 魚は泳ぎながら眠っている

魚は泳ぎながら眠るか？ そういえば、我が家の金魚が目をつむっているのを見たことがない。まばたきもしない。魚は眠らない生き物なのではないだろうか。しかし魚は、泳いでいるときも、静かにしているときも、常に眠っているのだ。心眼を持って眠りながらすべてが見えているのかも知れない。では何故、そんなことが言えるのか？ 魚は何でも知っている。「swimming 中」（睡眠中）。

61 好きになっちゃった!!

彼女ができた男に話しかけても、聞いているのかいないのか。ボーっとしていて、どこか上の方を見ている。どこ？「上（うわ）の空」だと。

上の空　他の事に心が奪われて、そのことに注意が向かないこと。また、そのさま。

62

死んだ会議が生き返る

一方的で、伝達ばかりの会議というのがある。出席して聞いているのが辛い。多少長引くと、会場のどこからかクー、クーという寝息が聞こえてくる。やがて急にガガガッという鼻鳴りの音が続く。静かな会場がどよめき始めて、活気が出る。出席者の関心は、いびきの方に移ってる。演壇で話者も何だか話をしているが、いびきの方に気を取られている。寝ている男が今や中心人物。本人は無意識の夢の中。周りは第二段（弾）のガガガッをそれとなく期待している。鳴り物が躍り出てきたようだ。そんな楽しい会議だが、話し手は苦り切っている。

そんな様子の会議を旨く言った表現をご存知だろうか？会議は踊るされど会議は進まず。時々、国のお偉い方の会議の様子がテレビで放映されることもあって、とても人間愛を感じる？

会議は踊るされど会議は進まず

１８１４年から翌年、ウィーン会議の舞台裏で、参加国の元首や大使たちがかけひきに終始しているのを、フランスの代表タレーランが皮肉を込めて言った言葉。

63

料理研究家？

料理研究家と名乗り、イカの美味しい食べ方を教える男が居た。彼は独特の調理法を披露した。まず新鮮なイカをさっと熱湯に浸《ひた》し、そしてそれをすぐに冷水に浸《つ》ける。ここが極意という。イーカげんの頃合いを見て取り出し、食べてみればイカの食感ではなく別物になる、というふれ込みだ。聞いた主婦たちは早速試した。しかし、イカはやはりイカだった。主婦たちは彼を何と呼んだだろうか？かれの極意にやられた。「イカ冷《さ》まし」

いかさま師　詐欺を常習とする者。詐欺師。ペテン師。

64

ビリヤードが災い？

ビリヤードの好きな男が居て、普段は真面目で正直だが、たまたま、ちょっとしたことが喧嘩のきっかけとなり、それが連鎖反応して思わぬ事態となった。こんなぶつかり合いは、めったにない。人は良く知っている。こんな事態を何と言う？巷《ちまた》では「玉突き事故」と言うようで……。

玉突き事故　追突された車が前方に押し出されて、次々と前の車に追突すること。

65

うまく行くこつ

愛子は太郎の嫁になった。憶えている人はもう少ないかも知れないが、そんな歌があった。夫の太郎は歌が好きで、愛子はいつも手振りで調子を取った。二人の生活は順調だった。愛子は太郎に身を持って入れ込んだお陰で幸せだった。ところで愛子が夫に入れ込んだものとは何か？世の中の素敵な奥さん方は、無意識だろうけれど自然に身についている。素晴らしい。何かって？「愛の手」です。

合いの手（相の手）　相手の動作や話の合間に挟む別の動作や言葉。

66

見直すと面白い日本語

日本語で、語尾に〈－きり、－ぎり〉のつく言葉はたくさんある。夜空に霞《かす》むのは……ヨギリ（夜霧）、人の前を右から左へ通るのは…ヨコギリ（横切り）、頑張るのは…ハリキリ（張り切り）、顔が三角の虫は……カマキリ、切腹は……ハラキリ（腹切り）、お付き合いをやめるのは……エンギリ（縁切り）、何かに夢中になることは……シャカキリ？いや、これはシャカリキだった。丸く切るのは……ワギリ（輪切り）、もうこの辺でいいんじゃないかというのは……ウチキリ（打ち切り）。こんなこと考えてキリキリ舞いになるのは御免だ。でもこのようにたくさん〈キリ、ギリ〉のつく言葉がある一方で、もういいだろうという気持ちは何故起こる？〈－きり〉があっても「キリ（限《き》り）無し」だからね。

限《き》り無し　きりがないこと。際限がないこと。

67

日本に最初から居た人々

日本は山国である。もともとこの国には渡来人とは別に、先住民族が居たことは多くの研究者によって明らかにされている。民族と山を関係づけて研究した人が出した先住民族とは、どんな民族だったのか？まあこれは「山と民族（大和民族）」だった。

大和民族　日本人を構成する、主たる民族。

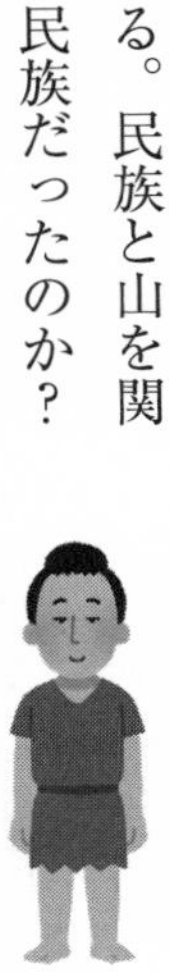

68 マンションの各階住人事情

マンションのそれぞれの階には、その階にふさわしい人が住んでいる。例えば一階には、ごく普通の人が住む。何故かというと一階（介）の人と言った具合。ある階には男ばかりが住んでいる。これは三階の話。何故なら「女は三階（界）に家無し」。だが、昨今は男女交代の感もないわけではない。もめ事をよく起こす人が住んでいるのは「厄介者」で八階。ある階にはアナウンサーが多いという。「司会（者）」。この階には早とちりが住んでいる。「誤解」の多い者。このマンションは八階建てだが、それ以上の高層になると、そんな気の利いた住人は居ない。というか限階（界）!! 二階、六階、七階は調査中。まったくシャレにならない。

一介の人　ごく普通の人

女は三界《さんがい》に家なし　女は幼少のときは親に、嫁に行ってからは夫に、老いては子供に従うものだから、広い世界のどこにも身を落ち着ける場所がない。

69

夢は大きく、現実は激しく

夢を食べて生きる動物が居て、ある外国人たちがその動物を買いあさっていった。自分の国で育てて、夢を更に膨らませ、幸せを得るということだったが、それを見ていた人たちは彼らの行動について言った。「獏《ばく》買いだ」

爆買い　大量にまとめ買いをすること。（ネットより）

獏《ばく》　中国の想像上の動物。人の悪夢を食うといわれ、その皮を敷いて寝ると邪気を避けるという。

70

伝統や威信はさて置き、まずは話し合ってみては……？

各宗派には大僧正とか僧正という最高位の僧が居る。そういう高僧が集まって、難問を解決すればいい。これは良い結果を生む筈《はず》だ。「僧正効果」と言って……。

相乗効果　二つ以上の要因が同時に働いて、個々の要因がもたらす以上の効果を生じること。

71

座布団一枚

山が多いのに、山無し県。食することができるのに、食《く》えん酸。頭高1・8メートルもあって、背が高いのに、低い鳥（火食鳥《ひくいどり》）。雨が降っても着られる晴れ着。女房が後ろから亭主に声かけても、お前さん。頭がいいのに、あほう鳥。……稚拙で馬鹿馬鹿しいと思いながら書いているが、やはり馬鹿馬鹿しい。出来はどうかと尋ねたら「馬鹿《うまか》ね～（上手《うま》くはない）」はいしどうどう、はいどうどう。

72

武器を捨てよ

げんこつを振り上げ、「再開するな」と大声を発している。平和を望む侍《さむらい》たちだ。ひとつひとつの振る舞いをつなぎ合わせれば、この人たちは何に対して意思表示をしているのか？げんこつで、声を発して、再開するなと言っているのだから、「げん発再開」。彼らはまだ小物の侍たち故に、武器代りに使うのは何か？そう、「こぶし」（小武士）だ。

原発再開　原子力発電を再び始めること。

73

うそっ！本当？

割引セールの噂で、うどんひとり分800円、そばひとり分800円、うどんとそばを合わせて二人分を、ひとりで食べたら800円。こんな店が出たという。そこへ行くべきか、やめるべきか？それはやめるべきだ。うどんとそばで800円なんて、うそ800。まあ、麺（面）食らった話だが、人を食った話でもある。

嘘八百　多くの嘘。また、まったくのでたらめ。
面食らう　突然の事に驚きとまどう。まごつく。
人を食う　人を人とも思わない、ずうずうしい態度や言動をする。

74

脅《おど》しのテクニック

男二人が言い争っていた。双方似たり寄ったりで決着がつかない。そこで一方の男が強気に出て、相手をねじ込もうとした。その時の男の言動は、二人の態度を掛け合わせたような大げさななものだった。脅しとも取れるこの言動は、双方二たり四ったりを掛け合わせて、「八ったり」になるというもの。

はったり　相手を威圧するために、大げさな言動をしたり強気な態度をとったりすること。また、その言動。

75

もったいない

てんこ盛りでも普通盛りでも、盛ったご飯を食べきれなくて、残してしまう人が居る。食糧難に喘《あえ》ぐ民が多いのに何ということか。残したご飯は捨てられる運命だ。そんな事情を逆手にとって、こういう人には米を食べさせないとする規則を宣言した方がいい。米を断つのだから、もうお分かりだ。そう「断シャリ宣言」。捨ててはだめだ。ん?「断・断シャリ宣言」

断捨離　不要なものを断ち、捨て、執着から離れることを目指す整理法。平成22年（2010）ごろからの流行語。

76

もっともな話

母親が娘に電話をしたら、あいにく娘ではなく、3才になったばかりの孫が出た。「あら、ハルミちゃん、お婆ちゃんですよ。今、何をしているの?」「今ね〜、……電話しているの」「んんん……そうだったね」（娘が出んわ……孫突いた）（娘が出なくて、孫が不意を突いた）

まごつく　うろたえる。

77 どっちらけ

1 決して賢くはない当たりや集団があった。ある時、ボス（親分）が金も稼げないご時世に考え付いたのが、あさはか極まりないのだが、それぞれ子分たちが宝くじを買うことだった。ボスは俺が一等を当てると豪語していたが、果たして結果は……本当に一等を引いたのだった。子分たちは羨望《せんぼう》もあったが、しらけた。そのとき出た言葉が、親分が一等を引いて俺たち「ドン引きだー」

ドン引き ドンは強意の接頭語。だれかの言動で、その場の雰囲気が急にしらけること。
またドンは親分、ボスの意。

2 その時、ボスは子分たちにドヤ顔で言った。「ドンなもんだ」

3 たまたまそこにアメリカ人が居て、そのボスは彼に聞いた。俺はボスだけれど、英語でボスのことを何と言うのかと。アメリカ人はすぐさま答えた。「Don't you know ?（知らないのかい?）」。「そうか、ドンちゅ（って言）うんだ」。

78

名人と素人

サメ獲り名人が居た。ある日サメ獲りに興味あるという友と二人で沖へ出た。海中に潜《もぐ》った。見つけた。小さいが獰猛《どうもう》な一匹だった。友は興奮した。サメは賢かった。一撃を仕掛けたが、うまくかわされた。友は追った。その先の危険を察知した名人は友を止めた。友は何をしようとしていたのか?そう。「フカ追い」

深追い　必要以上に追究すること。

79

悪酔いする酒、しない酒

情にもろいが、ある酒を飲むと悪くなる女性が居た。ワイン、ビール、ウィスキー、焼酎……何でもござれだったが、ただ日本酒がだめで、飲むと荒れ狂った。彼女にとって日本酒はどんな酒だった?「不可な酒」(深情け)。くわばら、くわばら。

深情け　異性に対する情愛の度が過ぎること。また、その情愛。

悪女の深情け　醜い女のほうが美人に比べて情が深いということ。またありがた迷惑のたとえ。

80

問題の解決法の食い違い

車同士が接触事故を起こした。Aは警察に届けよう。Bは話し合いで済ませよう。Bは地に足を踏みつけながら言い張った。Bは何が言いたかったのか？「じだん」だ。

じだんだ　足で地を何回も踏みつけること
示談　話し合いで決めること。

81

案外多いかも？

噂で評判のケチな婆さんが居た。商売をしていたのだが、さすがに金儲けは上手だった。人は言った。「普通の人は腕に自信を持っているけれど、あの婆さんはいつも手に持っている物が違うから……」一体、手に何を持っていたのか？「やり」だった（槍手ばばあ）。

遣《や》り手　腕前のある人。敏腕家。

82

酔って本性？

酒に酔った男が、「俺は酔ってねぇ〜。俺は人に迷惑なんかかけてね〜。俺は善人だ〜。」周りの者が言った。「あいつは自分が良い人間だと思っているが、常に人に迷惑をかけて、良くない男だ。」彼について誰かが言った。「あいつ我良《われよ》い（悪酔《わるよ》い）」酒飲みは自己酒《ちゅう》。自分の酒が最も良い。

自己中　自分勝手。

83

生きる場所

舞台役者は自分の立ち位置を知っている。責任ある人は、社会で生きる立場を知っている。だが、その立場をまだ見つけられずにいる人たちが何やら道端《みちばた》で話し合ってる。傍《はた》から見ると、彼（女）らはどのように見えるだろうか？「立場無し」

立ち話　立ったままで話をすること。また、その話。

84

船長さん

男が大海に乗り出した。目指すは遥かに見える沖の小島。一人船長。静かな海。島の手前でヤバっ!!大波が来た。舵取り失敗。座礁。男は思った。シミュレーションしておけば、こんな現実に遭遇しなかったのに。しかしそんなシミュレーションなんか、あるはずがない。何故っていわれても、世間では「航海先に立たず」というもんで。

シミュレーション　模擬実験

後悔先に立たず　してしまったことは、あとになってくやんでも取り返しがつかない。

85

猫は人情が分かる?

劇団猫座という一座があった。地方巡業しながら、寅さんのような流れ者を主人公とし、義理人情を演じた出し物を得意とした。ところで彼らは常に猫を連れていた。猫はこの一座にメロメロ興奮するほど懐《なつ》いていた。どうしてって言われても、そりゃ「股旅《またたび》」者の集まりだったからというしかない。

股旅　博徒（ばくと）・芸人などが諸国を股にかけて旅をして歩くこと。

木天蓼《またたび》（またたび）　マタタビ科の落葉性の蔓《つる》植物。猫が好み、特有の興奮をもたらすマタタビラクトンを含有。同じ科にサルナシ・キウイフルーツなども含まれる。

86 食べ物で熱中症？

猛暑の最中に、腹を減らした犬が、慌ててある物を食べた。腹が急に熱くなり、やがて体全体が熱くなり、熱中症になってしまった。医師に診せたら病名は早かった。ホットドッグ（熱い犬？）。何を食べたのかって？……わかりません。

87 分かりやすい話

調味料会社の運送車が、途中で動かなくなった。何の調味料を運んでいたのか？「胡椒《こしょう》」

故障　機械や身体などの機能が正常に働かなくなること。

88 災害はいつ何処で起こるか判らない

突然、大きな地震に襲われた。急なことで混乱し、事態の収拾《しゅうしゅう》がつかず、大きな被害が出てしまった。どの地方？急に襲われて、収拾がつかないとなれば「九州（急襲）」

急襲　敵のすきをねらって、急に襲いかかること。

89 絞り込まれた店

警察はあの建物が怪しいと踏んだ。結論に至るまでにはいろいろな角度から絞り込んできた。絞り込まれたその建物は何だった。商店（焦点）。

焦点　人々の注意や関心の集まるところ。また、物事のいちばん重要な点。

90 親父のあとを継ぐ?

Aの親は英語のできる有能な弁護士。Aは法学部の学生で4年生。就活に追われているが、なかなか決まらない。子供のころからアメリカに留学したいと思っていた。就活がはかばかしくないので結局アメリカに行くことに決めた。何で行くことに決めたのか?「飛行機」で。理由なんかは彼しかわからない。

91

妊婦《にんぷ》の願い

妊婦が健康で、予定通りよい子が生まれますようにと願をかけた。願掛けは昔から人が寝静まってから密《ひそ》かに行なうものであった。妊婦は夜暗くなってから、灯りの下で鐘を突いたのだが、何回突いたのだろうか？ そりゃ十回。「十突《と》き燈下《とうか》」と昔から決まってる。

十月十日《とつきとおか》　10か月と10日。人の妊娠期間をいう語。

92

雷神の心を読む

雷が鳴ると、意味判らずにクワバラ、クワバラと言った昔が懐かしい。現代人からみれば私は古代人のように映るかも知れない。でもクワバラとは何だ。これは菅原道真が死語雷神となり、彼の領地桑原には落雷がなかったからと言う説や、雷が農家の井戸に落ちて、農夫が井戸にふたをしたため雷神が井戸から出られず、桑の木が嫌いだった雷神が、桑原と唱えればもう落ちないと約束したからだという説がある。結局、桑の原ということになりそうだ。前置きが長くなったが、雷神は桑の木は嫌いでも、じつは桑の実は好きだった。雷神の主食は菓子のおこしだった。特別に上野浅草の出身ではないが（雷おこし）、桑の実が大好きで、たとえ満腹であってもいくらでも食べることができた。理由といってもなんだが、「桑腹《くわばら》」という別腹を持っていた。

別腹　これ以上は食べられない満腹状態でも甘いお菓子なら食べられることを、別の腹に入ると言った語。

93

あなたはつまる?つまらない?

世の中は「つまる」と「つまらぬ」では大違い。泥酔者《でいすいしゃ》とやくざ者。何?これは少々難しい。小さい「っ」(促音《そくおん》)を置けば、よった者(酔った者)。置かなければ、よた者(与太者、やくざ者)日本語《にっぽんご》は詰まるけど、日本語《にほんご》は詰まりませんか?

---

yottamono yotamono　詰まる音(促音)が入るか入らないか。

参考:世の中は澄《す》むと濁《にご》るで大違い。刷毛《はけ》に毛が有り、禿《は》げに毛が無し。(hake と hage 清音と濁音)

94 あなたはどんなタイプ？

1 毛がないのは禿げ、赤みがかった毛は赤毛、では毛はあるのだが、なさそうで有りそうで、心がけが良く、多少は恥じらいながらしっかりとしている人を何と言う？堂堂というのも何だけど、「けなげ」（毛無げ）。

健気《けなげ》　殊勝なさま。

2 それでは見るからに周りに迷惑を振りまきそうな人、これは「危投げ《あぶなげ》」だろ？

危な気　みるからに危なそうなこと。

95

古代生物

古代生物に興味ある子供が、夜遅くまで関連本を読んでいた。空腹になって何か食べ物を探した。子供は餡《あん》ころ餅が好きで、いつも用意してあった。あいにくその日は何もなかった。それで母親に聞いたら、逆に母親が聞き返した。「餡《あん》も無いと?」子供は複雑だった。

アンモナイト　アンモナイト目の軟体動物の総称。

96

ありのまま

顔に何の化粧もしていないのを、すっぴん（素っぴん）。衣装を何も身に着けていないのを、すっぱだか（素っ裸）。間抜けな様は、すっとんきょう（素っ頓狂）。知っているのに知らないふりをするのは、すっとぼけ（素っ惚け）。おっと、かまとと（蒲魚《かまとと》）ともいうけれど、ところで入浴中の人の様子は「すっぽんぽん」。これを見ていた人が、気持ちが上《うわ》ずって、声がおかしくなった。「ポンポン上気」ってご存知だろうか？

ぽんぽんは腹の幼児語。

すっぽんぽん　身に何もつけていないこと。また、そのさま。

上気　頭に血が上って興奮し、自分を見失うこと。

ポンポン蒸気　走行するときエンジンからぽんぽんと音が出る。河川・沿海の運送船や漁船として使われる。ぽんぽん船。

97

星物語

昔々の話。北極星が旅に出た。かねてから噂に聞く乙女座のα星（一等星）として輝く美人星スピカに会うためだった。行けども行けども天空は広すぎて、なかなか会うことができなかった。あるとき、はるかかなたにひときわ目立って明るい星を見つけた。「スピカ様に会える!!」胸踊らせて走った。だが近付いて驚いた。旅役者の装いで、確かに目立ってはいたが、かなり年増《としま》の星だった。……美しきは遠くにありて思うもの……名前を聞いた。「流れ星のウメと申します」確かに厚塗りのウメ星だった。北極星は肩を落して立ち去った。ウメ星は北極星の後姿を惜《お》しんで歌った。「別れることは辛いけど、仕方がないんだ…♫」星影のワルツだった。

98

チャンスはまだある

歯科医師でレーサーという稀有《けう》な才能を持ち合わせた人が居た。車が好きでレースに出るため、歯科の仕事をしばらく休んだ。さてレース本番中に壁に激突、瀕死の重傷、車は大破。もちろんレースでは負けた。命は取り留めたが、レーサーを諦めきれず、幸いにも車は修理で修復されたので、それを機に、今度は歯科医を再開しながら慎重にレースに臨んだ。彼のことを知っている人々はその時彼について何と言っただろうか?「歯医者復活・廃車復活」だ。

敗者復活

99

忖度《そんたく》か?

相手の気心を知れば、真心を持って接したい。相手に上《うわ》(浮き)気心が見え隠れするとき、人に上下の区別なしとは言っても上と下は一続き。その人に対して見えるのは何?「下心《したごころ》」

下心　心に隠しているたくらみごと。

100

相手を非難する

動物が怒る時は声を出す。まず威嚇《いかく》だ。人も同じだが、ところでふと気が付いたのは、クジラは海の中に居て、声を出せない。怒って相手を責めることはしないのだろうか。そんなことはない。生き物には感情があるからクジラも同じと想像できる。人はふだん横になっている腹を立てるというけれど、クジラは目を立てるらしい。特に雌《めす》のクジラは短気で近寄り難いようだ。「雌《め》くじら」と言うじゃない？

目くじらを立てる　目をつりあげて人のあらさがしをする。他人の欠点を取り立てて非難する。

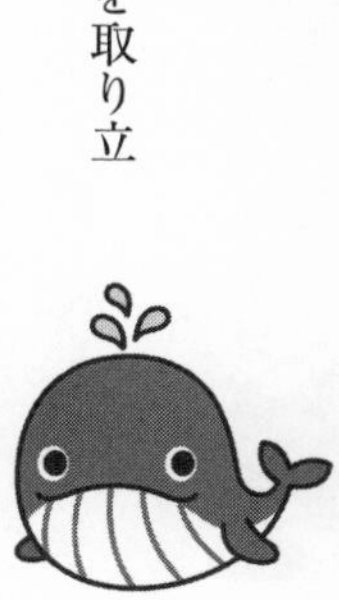

101

しじみ（蜆）の末期《まつご》　人はすべての食に反省と感謝を忘るべからず

急に蜆《しじみ》が出てきて唐突だが、しじみ汁の宣伝チラシを見ていたら、哀れになって想いが走った。幼いころから体の弱い蜆《しじみ》が居た。他の仲間の蜆と同じように、健康体になるために身を入れて筋トレをした結果、身の入った丈夫な肉体が得られた。でもその時蜆は自分が人間の犠牲になることを知っていて、自分は人間のために身を挺《てい》しているのだと感じていた。どのように感じていたのか？（しじみの間に身を入れて……）「し身じみ感じていた」。蜆の気持ちよくわかる。哀れなるかな。

しみじみ　こころの底から深く感じるさま。

102

事情を知らなければ、人は直に言う

のりを舐《な》めてしまったために、お婆さんに舌を切られてしまった小スズメは、その後言いたいことも言えず、呂律《ろれつ》が回らなくなった。事情を知らない人はこのスズメのことを何と呼んだか？「舌足らず」

舌足らず　舌の動きが滑らかでなく、物言いがはっきりしないこと。また、そのさま。

103

売り場いろいろ

1

客のまばらな洋服売り場に来た。高級服が並んでいる。マネキン人形の着ているある服が目に留まった。当然だが正札《しょうふだ》に書かれていた値段には手が出ない。でもこの商品には手を付けてはいけない。何故なら怪我をする危険がある。そんな危ない商品なのか？だいたい商品というのは、手にとってはいけないのが常識だ。手にとって物にしたのはいいけれど、あとから失敗したと気付くのは、それが「札付き」だったということ。人も自己アピールで、自己値段を付けてくれると買い手の失敗はなくなるだろうに……でも結局、札付きはダメか。

札付き　特に、悪い評判が定着していること。また、その人。

2

別の店に入った。子供で賑わった文房具売り場だった。折って遊べる色紙売場では、子供や店員すべてが明るく、見たからにとてもいい売り場だと直感した。それは「折り紙つき」だった。

折り紙つき　そのものの価値・資格などに定評のあること。保証ができること。良い意味でしか使わない。

104

人は外見だけではわからない

内気《うちき》で寡黙《かもく》で弱弱《よわよわ》そうな男が居た。大きな怪我もしなければ、大病も患ったこともなく、至福を感じてはいただろう。賢《かしこ》そうだが人の頂上に立つこともなく、常に副委員長のような補佐ばかり。一見良さそうな男だが、どこかで私腹を肥やしていたのか、私服は派手なブランド品のようであったが、結構ちゃらかった。一人の人間がこんなに「ふく」責めになっているということは、生きるということがどういうことなのか？早い話が人は「ふく雑」

複雑　物事の事情や関係がこみいっていること。

105

七味唐辛子

七味唐辛子は、七種の香りを混ぜて作った、刺激あるすばらしい調味料である。ある七味職人がある時、一味を忘れて六味の唐辛子を作った。これをある人が味わったのだが、「何か物足りない。七味の味がしない。これは味も素っ気もない。」と言った。このような六味の唐辛子についての印象を何と言う？「六味《むみ》感想」（無味乾燥）

無味乾燥　おもしろみも風情もないこと。また、そのさま。

106

新雪にはご用心

春の雪山。スキーヤーで賑わっていた。スキーヤーの気持ちを察するかのように新雪が降り、景色は一変した。スキーヤーは、滑るのに格好な優しい雪といって喜んだ。だがその新雪がいけなかった。表層雪崩《なだれ》を起こしてスキーヤーに怪我人が出た。これを見ていた人は何と言った？「新雪の積りが仇《あだ》となる」

親切のつもりが仇となる　仇＝害をなすもの。危害。

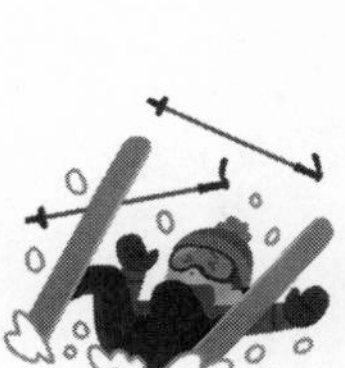

107

吹聴男《ふいちょうおとこ》

甲斐性があるんだか、ないんだか、訳の分からない不甲斐ない男が居て、いつも自慢話しかしない。人はその男を指差して「ほら、あの男また吹聴《ふいちょう》している。」ところでこの男、何を使って努力の甲斐があったと吹聴したのか？これは「ほら」しかない。

ほら　法螺貝《ほらがい》の略。大げさに言うこと。でたらめを言うこと。また、その話。

ほら貝　修験者が山中で猛獣を追い払うために吹いたほか、法会や戦陣における合図などに用いた。ほら。

法螺（ほら）を吹く　大げさなでたらめを言ったり、大きなことを言ったりする。

108

今や監視の目は至る所になくてはならない

青森の高速道路での話。速度規制監視強化の圏外に抜け出た車が、急に速度を上げた。この車の圏外へと、もぬけた後の運転は、危険極まりないものになった。あおもりから、「も」抜けたので、「あおり」（運転）と化したのだった。

もぬける　抜けて外へ出る。脱皮する。蛻《もぬけ》の殻《から》。

あおり運転　道路を走行する自動車、自動二輪、自転車に対し、周囲の運転者が何らかの原因や目的で運転中に煽《あお》ることによって、道路における交通の危険を生じさせる行為のこと。（ネットより）

109

男と女

亭主持ちの女が優しく愛の言葉を語りつつ、別の男に気を持たせると、たいていの男はチンぼつする。気をつけろ。「つつ持たせ」だ。つつ（筒）がない女は気の毒に、悪い亭主でだめになる。

美人局《つつもたせ》（筒持たせ）

夫婦または内縁の男女が共謀して、女が他の男と密通し、それを言いがかりとしてその男から金銭などをゆすり取ること。なれあい間男。もと博徒の語「筒持たせ」からきたものという。

「美人局」と「つつもたせ」は本来、由来が異なる全く別の言葉。「美人局」はもともと中国宋代に書物編纂された『武林旧事』にでてくる犯罪の名前で、娼婦が少年に近づき、そこへ男がやってきて娼婦を妻や妾と偽り、金品を奪うという手口。一方、「つつもたせ」は、元来「筒もたせ」と書き、ばくち打ちの間で使われていた言葉。「筒」とはサイコロ博打でつかう筒のこと。サイコロ博打で細工した筒を使っていかさまをすることを「筒もたせ」といっていた。それが転じて、詐欺やインチキそのものを指す言葉となり、やがて中国の「美人局」のような、男女関係を利用した詐欺についても使うようになった。（ネット）

つつがない（恙《つつが》無い）　病気・災難などがなく日を送る。平穏無事である。

110

命名

水中に住む虫の研究が始まったころの昔々の話。ある研究者が靴を履いたまま川の中に入り、虫を採集していた。その日は何の成果もなく、家に戻って靴を脱いだのだが、気が付くと足の指の間に出くわしたことのない虫がいた。彼はその日の成果を喜んだ。新たなる発見と思い名前を付けた。何と言う名前だろうか？「見ず虫」。学名にはならなかった。

水虫　ミズムシ科の昆虫。池沼にすみ、体調約1センチ。
（白癬菌の一種が主に足の裏・手のひらや指の間に寄生して起こる皮膚病。）

111

空腹のじじい（爺《じじ》）

品よく年取った女性が居た。彼女には初老の男が常に寄り添っていた。彼は仕事するわけでもなく、彼女に面倒みてもらっていた。金がないからいつも腹を減らしていた。周りではこの男のことを、相変わらずの何と呼んだ？「紐爺《ひもじい》」

紐　　　　女性を働かせて金をみつがせる情夫。
ひもじい　ひどく腹がへっている。

112

忌《い》み詞《ことば》

乾物屋にするめいかがあった。賞味期限が近づいて、味の保証はいまひとつ。そこに馬鹿な客が来て、「このいかは美味しいですか」と聞いたもんだから、不味《まず》いと答える親仁《おやじ》はまず居ない。「アタリメよ。（当たり前よ）イーカら買ってみな」

アタリメ（当たりめ）　スル（掏《す》る）メの忌《い》み詞《ことば》

113

人の知能の減衰か？直観力の衰退か？愛なんかいらない？

人から愛を取り払うことはできないが、未熟な愛は人を滅ぼす。恐ろしい事だ。愛深まれば、時に憎しみに変わり、個人情報流出。わが身の痛さを避けて知能任せの遠隔衝突。ついに来る人の五感喪失……既に愛が人間のリズムを侵し始めている。この愛は悪魔の微笑みとも、神の忠告ともいえる。人がまだブレーキをかける能力の余裕があるうちに、どうにかしなければならない愛だ。人はこの愛を超えられるか？思い切って捨てちまうか。だいたい愛って何だ？アイだよ、ＡＩ。人工知能だ。人は頭良さそうで、目の先だけ。便利さに夢中になって先が見えない。次に見えるのはしぼんだ風景、汚れた土壌、疑心暗鬼の人の精彩ない顔、……笑いのつもりが、笑えない。愛はＡＩに通じるか？答えはまだ出ない。

ＡＩ　artificial intelligence: AI。人工知能。

114

メダカの学校

ず〜っと昔の話。外国から赴任してきた一匹の太ったメダカ。名前は王（ワン）校長先生と言って紹介された。「メダカの学校は川の中。誰が生徒か先生か？皆でお遊戯しているよ……」子供にとっては楽しい世界だが、大人の世界で見れば格差社会。校長先生は裕福で、威張っていたから誰も近づかない。いじめのことも知らないし、PTAの事なんかわからない。いつしか生徒の方から歌が聞こえてきた。

「べべも着ないで、いつもひとりで川の中。皆が遠くで見ているよ……」この校長先生は保護者からは何と言われただろう？メダカが変じて「ハダカのワン（王）様」だった

裸の王様　高い地位にあって周囲からの批判や反対を受け入れないために、真実が見えなくなっている人のたとえ。

115

どうなる?

山登りの好きな人を募って登山をしようということが企画された。参加者は10人で決行。多くても少なくても取りやめという。募集した結果、一人、二人……七人、八人まですぐに集まった。決行当日の天気は予報によると曇りだった。それで九人目になって怪しくなった。計画がきついわけではなかったが、天気のことが気になったのか、とにかく九人目が現れず、つまずいた。既に参加を決めた八人は、この九人目を期待し、様子をうかがっていた。どんな様子か?「九《く》も行き」と言ったところで、ちょん。

雲行き　物事の成り行き。形勢。

116

時の流れに逆らわず……

A男は九州出身で、B男にホの字だった。B男は愛知出身でA男にモの字だった。モの字?つまり盲愛《もうあい》だった。二人合わせてホモだった。A男とB男の絆は固かった。何故って?出身地を合わせれば、「九愛」同志。わかる?

求愛　異性に対し愛情を求めること。この定義はもう古い。今では同性愛が立派に自立権を持っている。

117

初めからわかってんじゃん？

私の名前は「とうかいりん」です。「しょうじと書いて、とうかいりんと言います。最初から書けない。「とうかいりんと書いて、しょうじと言う人も居ます。」多少わかる気がする。変なのは、このとうかいりんさんが「とうかいりんのとう、とうかいりんのかい、とうかいりんのりんと書きます。」と言った時、「ああ、とうかいりんの東《とう》、とうかいりんの海《かい》、とうかいりんの林《りん》」と言いながらさらっと東海林と書く人が居る。こんな奴は「かまってられないトトカルチョ」そう、「かまとと」だ。

かまとと　知っているくせに知らないふりをして、上品ぶったりすること。また、そのひと。多く女性についていう。

東海林　呼び方に「しょうじ」と「とうかいりん」両方あるようです。

トトカルチョ　プロのサッカー試合の勝敗予想賭博。

118

友達?

信悟という若者が居た。ちょっとしたことで仲間はずれにされ、口も利いてもらえなかった。それを見た大人が、これは事故が起こると思い、信悟の仲間たちに言った。「これは罪になる。仲良くしなさい。」と。仲間たちは意味がわからず「罪って、何の罪だ?」「信悟無視(信号無視)がわからねーか?」

119

思い返しても、もうわからない。

事件現場を再現する映画の場面で、スタッフが血の跡をいかに生々しく表現するかが問題となった。絵具、ケチャップ、チョコレートなどいろいろ試したがうまく行かない。いくつかの材料を何気なくすり合わせていたら本物らしい血液ができていた。それを散らしたらまさに血痕となった。予想外の「できちゃった血痕(結婚)」だった。

120

やばい？ それともやばくない？

「ばい」という貝をご存知だろうか。食用になったり、貝細工の材料になったりする。このばいを取引する業者は「ばい人」だけれど、売人ではない。ややこしいがこの業者は盆暮れの贈答の返礼には必ずこの貝にするという。贈られた方は誰もが満足する。この業者に対する世間評は半端ない良い評判だ。何故って、ばい貝師《がい》に不満あるかって……？

倍返し　贈られたものや受領したものに対して、倍額に相当する金品を相手に返すこと。

121

尾を引く児同士

よく切れる子供が居て、切れ児と言われた。では母親が違う子供は何だ？異母児だ。児《じ》同士で多少関連性があるかも知れない。別の何かを想う御仁《ごじん》も居《お》られよう。ところで生まれつき頭が良くて秀才と言われているが、言っていることと考えていることが違う子供Aが居て、その子供と競い合っているという仲間Bにその子供のことについて聞いたら、怒髪、天を衝いて「敵じゃ、敵じゃ!!」

この子供Aは普段から何と言われているのだろう。そう、「本能児」。ところでその競争仲間の名前を聞いたら、「織田」だった。

本能寺　京都市中京区にある法華宗本門流の大本山。本能寺の変などで焼失。織田信長の供養塔がある。

「敵じゃ、敵じゃ」で思い出したが、喧嘩《けんか》好きな子供が居て、祭りの時などは神輿《みこし》の喧嘩が大好きだった。戦いが好きなこの子供は、「戦争児」と言われ、浅草に住んでいたらしい。

122

旅行したい……けれど……

公務員が公務で出張する際は、高級ホテルに泊まるのだろう。では公務員が公務ではない個人旅行をする時は、どんなところに泊まるのだろうか。案外、泊まれる宿がなくて、その辺の野外で野宿しているかも知れない。何故って公務が外れれば「公務レス」

ホームレス　住む家を持たない人。

123

神さま～～～!!

20世紀末からＩＴの進歩が著しい。お蔭様で便利な世の中になったが、同時に人の思考力の低下や、自然界では気候変動など災害脅威も捨て置けない。天才が現れたのはよかったが、同時に気付かぬ不幸も更に増えるだろう。「天災は忘れた頃にやってくる」とは昔の話。今では天災も天才も憶えているうちにやってくる。天才は天災でもある。天才が采配を振って、天災が限りなく続く。天才を創造し過ぎ、天災を引き起こす結果となって、この惨状を見た神様が、嘆いて心痛めて、地上に向かって二度繰り返して言った。何と？「ごめんな才、ごめんな災」

124

洗練された

ごく普通の女性が居た。赤い服が好きで、周りでは落ち着いた色の方が似合うと薦めたが赤を続けた。やがて彼氏ができて周囲の言うことが分かったようで、赤ではなくおとなしい色を身に着けるようになり、素敵になった。周りでは何と言っただろうか？そう「赤抜けた」

垢《あか》抜ける　容姿・動作や技芸などが洗練されている。いきですっきりしている。

125

夜目《よめ》遠目《とおめ》笠《かさ》の内《うち》

昔は日が沈むと暗かったし、夜見る時、遠くから見る時は笠の蔭からちょっと見える顔が綺麗だった。男には夢があるじゃーありませんか。ドキ突きますなー。今では街中《まちなか》は夜も明るく、被《かぶ》り物も付けていないのですべて丸見え。ばればれのむき出し。まあ明るいといっても夜は夜。せめて夜目《よめ》に変わる頃だけでも、お嬢様方、品よく整えておきましょう。えっ、何故って？「夜目入り前」だもの。

夜目　夜、暗い中で物を見ること。また、夜、物を見る目。

嫁入り前　嫁入りする前

126

いつの時代にも困った人が居る

時は江戸の後期。祭りが盛んになり、太鼓の音がたびたび町中に響いた。亀吉という若い、元気な男が居た。太鼓打ちが好きで、自宅でいつも叩きの練習をしていた。当然近所から苦情が出た。現場の状況証拠を撮るスマホなんて道具はなかったし、電話もなかったから奉行所に行ったら、しばらくして町奉行がやって来て、処罰の申し渡しをした。どんな処罰だったのか？亀吉の音がうるさいということで、「音亀」ということで落ち着いた。今なら大ごとになること太鼓判。

御咎《おとが》め　犯した罪や過失を責めること。またそれに対する罰。そしり。非難。叱責《しっせき》

太鼓判　確実であるという保証。

127

深呼吸（日仏合作編）

ピアノ、ヴァイオリン、チェロの三重奏が行われた。ピアノの奏者の名は信《しん》。ヴァイオリン奏者は信の妻。そこにチェロの奏者が微妙な立場で参加した。微妙というのは、チェロの彼がヴァイオリンの彼女にぞっこんだったから。楽器の調子を試す序奏の前に、信は落ち着くために深く呼吸した。結果はチェロの彼がヴァイオリンの彼女と好い仲になった。信が深く呼吸したのが予兆だった。何でまた？信は「信コキュ」といって音取《ねと》られる（寝取られる）結果となったんよ。

音取《ねと》る　奏楽の前に、あらかじめ楽器の調子を試す。音程を調える。
寝取る　他人の配偶者・愛人と情を通じて、自分のものとする。
コキュ　妻を寝取られた男。フランス語 cocu

128

きれいになりた〜い

髭《ひげ》は濃いが、女装した美男が居た。誰もが見返るほど目立った。だがある時、急に萎《しお》れてしまったようになった。化粧の仕方を間違えたのだろうか。髭面《ひげづら》の男の肌を隠すには、特別の化粧水が必要だった。友人が彼（女）に聞いた。どうしたのかって。本人も気付いていたのか、いなかったのか。どうも美容液を取り違えたらしい。気付いたら何だった?!うへ〜、女装液（除草液）!!ところで髭は生《は》えたのだろうか?髭は映《は》えなくなったようだ。

129

似たようなのが集まる

気の小さい人間は、ひとりでは何もできない。そんな者たちは似たり寄ったりで周囲に強がりを誇示する。初めは二人だったのが、四人になり、とうとう八人まで仲間を増やした。それで彼らは何かを噛《か》ました。何を噛ましたというのか？しかしたちまちばっさり切られて凹《へこ》んだというからたいしたものではなかった。噛ましたのは何？八人集まって「八人《はったり》」だった。

はったり　相手を威圧するために、大げさな言動をしたり強気な態度をとったりすること。また、その言動。

噛ます　相手がひるむように衝撃を与える動作・言葉を加える。

130

乳牛

乳牛のジャージー種はイギリスのジャージー島の原産といわれるが、アメリカのある州で改良されたのが乳《にゅう》ジャージー種とか、よく分からないけれどそんな州がある。その牛を日本に輸出するという話が出た。しかし関税など難しい問題があって、チチとして進展しない。モウいい加減にしてくれとは牛たちの悲鳴だが、では日本のどこで飼育するかといえば父島だろう。駄洒落もいいところで、この辺で真面目な話。さて次にはこの牛たちを飛行機で運ぶのか、船で運ぶのかということになった。日本人の搾乳者（乳搾り）が、当然飛行機でと言った。アメリカ人にはわからないと思うが、日本人にはピンとくる飛行機だ。それって何という飛行機だろう？「ボインぐ」だ。

ボーイング　アメリカの航空機の製造会社。

131

ミンミン蝉《ぜみ》

蝉にはあぶら蝉、ツクツク法師、ミンミン蝉、熊蝉《くまぜみ》などが挙げられるが、その種類によって、みんな同じ音の高さで鳴いている気がする。人はそれぞれ声の高さが違うのに、例えばミンミン蝉の雄は雌に惚《ほ》れてる~と叫んでいるのだから、ホ（惚《ほ》）調のミ（身）のトーンで鳴いている……というのはこじつけだけれど、ミのトーンより半音ずれてはいないか?別にミンミン蝉に限ったわけではないが、これには納得する人も居るかも知れない。何故って?世間では、「セミトーン」という専門用語があるし……

セミトーン（semitone　英）　音楽用語で半音。アメリカでは halftone.

132

思いやり

仲の良い二人姉妹が居た。姉の名は「かすみ」、妹の名は「すみれ」といった。互いに経験豊かで、思いやりがあって、隅に置けない二人だった。すみれは活発で、自由人だった。かすみはおとなしく、やはり姉であった。ある時花屋の前を通ったすみれは、部屋に飾るために、自由人らしく「フリージア」を買った。かすみの部屋にもと思い気の利《き》く妹は、花を買った。何の花だった？それは……「姉もね」（姉にもね）だった。

アネモネ　地中海沿岸地方の原産で、観賞用。

133

先史時代を想像する

悪い事情がたび重なって、大罪を犯してしまった大工の棟梁《とうりょう》（まあ、大棟梁とでもいうか）が、裁判にかけられ、極刑が確定した。執行は崖《がけ》の上から眼下の海に突き飛ばされるという、足がすくむだけでは済まない一般公開の恐ろしいものであった。こんな裁判は今では想像できないが、仮に太古の時代にあったとしたら、人はこれを何と呼ぶだろう？ま「断崖裁判」ってところか。

弾劾裁判　日本では裁判官について弾劾制度があり、その手続きを、裁判官弾劾裁判所が行う。

134

苗字《みょうじ》同士で固まる？

大きな原野があった。その真ん中を道路が走っていた。道路沿いには集落が点在し、それぞれに野の字を冠した苗字の家が密集していた。例えばその原野に入る前の道路には「野本」、入るところでは「野口」、入ってだらだら坂を登ったところには「野坂」、中心あたりには「野中」や「野原」、水田があってその近くには「野田」。では原野の出口のところには何という苗字の家が多かった？…えっ!!知り（尻）ませんだと？「野尻」だよ。のほほんとしている場合じゃないだろ。

135

好きの程愛《ほどあい》

並男《なみお》と熱子《あつこ》は恋人同士？…並男はほどほどに熱子が好きだった。熱子は並男のことが好きで好きでたまらなかった。並男は何となくある日、熱子に聞いた。「俺のことをどう思う？」熱子は言った。「端から端まで大好きなの」並男はとっさに言った。「半端じゃねーな」

半端じゃない　程度が甚だしいさま

136

猫の名前で心的外傷後ストレス障害（PTSD）

従業員に猫の名前をつけ、愛称にして客サービスをする酒場があった。客はタマさん、チャッピーさん、トラさん……のように呼んでいた。従業員は優しい、女の声で客に接したが、地声は男そのものだった。初めて来た客が、気持ちよく飲み始めたが、ある瞬間、その声にどん引いた。その後その客はPTSDにかかり、猫の名前を聞くたびに不安になり、恐ろしくも感じた。彼の心の中に残ったものは一体何か？相当驚いたようで、「猫名《ねこな》で怖《こ》ぇ～～～！」

猫なで声　猫が人になでられたときに発するような、きげんを取るためのやさしくこびる声。

137

名人は自分を責めたがらない

ある猫好きの版画家が、木版画を作製することにした。版木を選び、そこに猫の上半身を彫った。でき上がったのはどうも見ても、猫ではなく豚であった。これは対象とした猫が悪かったのか、選んだ版木が悪かったのか。まあ腕が悪いわけだが、名人作家はそうは思わない。こんな時、作家の心は揺れに揺れて納得ゆかない。何しろ版木に半身を納めたのだから、半身版木ということで、ああもやつくに違いない。

半信半疑　信じられそうでもあるが、疑わしく思う気持ちもあって、どちらとも心の決まらない状態。

138

秋になって……

秋はしみじみ想う季節。月あっての秋だけれど、月のない夜もあるのです。満月を二人で観ながら月見酒。三日月も二人で観ながら月見酒。では新月を探しながら飲んだ酒はどんな酒だった?「悪《わる》ふ酒」。あ〜〜あ、秋は深まりながら先細る。

悪ふざけ　度を越してふざけること。たちの悪い冗談・いたずら。

139

少しでも楽になりたい

喘息《ぜんそく》の患者が、ゼーゼーと咳をして苦しんだ。医師に診てもらった。いい薬を調合してもらったはずだが、芳しくなかった。後日結果を報告に行った。「多少良くなったんですが、咳き込みが100回のうち92回に減りました。」と。患者の苦しみが分かっているのか、この心もとない医師は言った。「軽減ゼーゼー率をもっと上げないと。」

軽減税率　軽減税率とは、特定の商品の消費税率を一般的な消費税率より低く設定するルール。

140

恥じ入る気持ち？

自分を抑えることのできない破廉恥男が居て、何でもはっきり、ずばり言うものだから、時には敬遠されたりもした。ある席で、初対面の人に名前を聞かれた。その時、むっとした態度で答えた。「赤良（あから）です。」―「はっ？何と……？」珍しい名前なので聞き返された。「だから、あからです。」―「なるほど、あから様ですね～!!」男はちょっと顔を赤らめた。そんな顔を「赤良顔」なんていうのは、……やめとこ。

あからさま　包み隠さず、明らかなさま。また露骨なさま。

赤ら顔　赤みを帯びた顔。

141

近い将来に起こるかも

アメリカのアポロ計画で、有人月飛行が近い将来普通になるかも知れない。日本での話だが、一番乗りした彼（女）はまず、月面到着してすぐに電話をする。「今、アポロで月に来たけれどウサギを見つけた。ところで家族はどうしてる？帰ったらまた電話する。」電話を受けた人は、ウサギと聞いてウっと息を飲み込む。アポロ、電話、ウサギ……「アポ電サギ」。だが月に行く者が、金に困って詐欺するはずはない。と思いつつも月よりの便りは増して、やがて不安が月（突き）進む。

アポ電詐欺　身内の者になりすまし、1回目の電話では自身の電話番号が変わったことだけを伝え、やや時間をおいて2回目の電話で金銭を要求するもの。

142

怒りのおおもと

自分の噂が知らぬ間に広がっていることはないだろうか? 身に覚えのないことが、周りで囁《ささや》かれている。打ち消そうとすれば、余計にややこしくなる。自分の心の中には、誰が……誰が……と思い巡らす。こんな時、誰に対して怒っているのだろうか? 一体、噂の流しは誰なのか? 流しっぱなしだから、「誰流し」。まったく汚い話だ。

垂れ流し　たれながすこと。

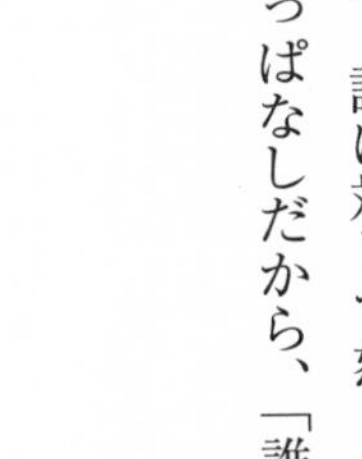

143

台風におろおろ

２０１９年10月12日、台風19号が接近中。進路は居住地直撃との報。数十年に一度の巨大危険極まりないものだという。ついにやって来て、南風と雨が窓を破りそうな勢いで叩きつける。やがて急に静まり返った。果たして台風の目の中に入ったのか?だとすれば再び風雨に晒《さら》される。こんな時の惨《みじ》めで、心細い様子を傍《はた》で見ている者が白白《しらじら》しく言った。「ああ（台風の）目も当てられない!!」

当てられない　正しく予測できない

目も当てられない　あまりにもひどい状態で見ていられない。

144 裏がありそう……臭そうな人々

1

鵜匠《うしょう》として有名な鮎取り名人が居た。名前は鵜飼《うかい》さんといったが、結構自信家で、はったりをきかせたりして、のし上がってきたような人だった。周りは何やら裏を知っていて、時には鼻に付くことさえあった。鵜飼さんはどんな人と思われていただろうか？鵜飼さんはどこか怪しくて、敬遠されて「鵜さん、臭い」（うさんくさい）。

うさんくさい　どことなく怪しい。疑わしい。油断ができない。

2

日本語がおぼつかないのか、或いは日本語を知り尽くしているのか、怪しい外国人が「あなた来なさい」と「あなた来てください」をまとめて言ったものだから、変な日本語になった。「あなた来な、くさい」。こちらが「きなくさい」人になってしまった。だがこんな仲から生まれるのが、「腐《くさ》れ縁《えん》」。ああ面倒臭《めんどうくさ》!!

きなくさい　こげくさい。なんとなく怪しい。うさんくさい。

腐れ縁　離れようとしても離れられない関係。

3

たとえ話で説得するのは、真実を回避していて嘘臭《うそくさ》い。嘘つきは泥棒の始まりというから、悪事を働かないようにするために、正面からぶつかって、誠を説いて相手の心を成就《じょうじゅ》させるというのは、そこにどんな匂《にお》いが感じられるだろうか?正面からぶつかれば「真《ま》っ向《こう》臭い」と言うしかない。

抹香臭《まっこうくさ》い　抹香（仏前の焼香に用いる）のにおいがする。転じて、いかにも仏教に関係があるような感じだ。

4

臭そうな人はたくさん居ても、守って欲しいものは不変だ。古人はしばしば言った。臭い仲にも節度あり?……いや、親しき仲にも礼儀あり。どんな仲でも節度や礼儀は必要だ。君、腐《くさ》すこと勿《なか》れ。

腐す　けなす

145

ようもう剤

毛生え薬の話ではない。

セーターを洗うためには羊毛用の洗剤を選ばなければならない。まずどんなことをしなければならないだろうか？「選択」（洗濯）。それでセーターが特別良い羊毛を使ったものなので、洗剤もめったに手に入らない逸品を探したら、運よく見つけることができた。それは「洗剤一遇」とか。面白くなければ濯《すす》ぎ洗いで流すべし。

千載一遇　千年に一度しかめぐりあえないほどまれな機会。

146 スマホも悪くない？

1 スマホに熱中して事故を起こすことが多くなっている。ハイヒール姿でちょっと気取った若い女性が、ある時歩き出したとたんに転倒して、露《あら》わな姿を呈してしまった。スマホを扱いながらの出来事だった。周囲は冷たい視線ながらも目を離せない。つんと澄《す》ましてスマホにのめり込んでいたから、酷評されて、何と言われたかおわかりか？そう、「つんのめり」

つんのめり　勢いよく前へ倒れかかること。

2 だが若いだけに派手に転んでしまったけれど、立ち上がりも速かった。大勢が見ている中で、彼女は周囲にインパクトを与えた。それで一躍《いちやく》「立役《たてやく》者」

立役者　芝居の一座で中心になる役者。立者（たてもの）。立役《たてやく》。

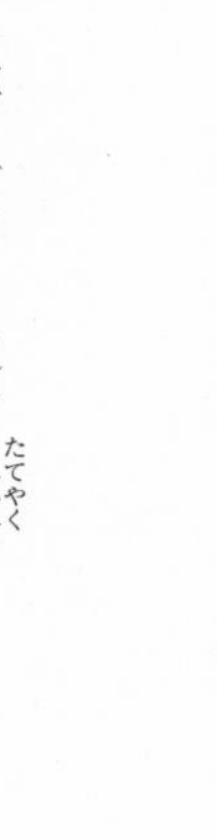

147

聴覚力

長調、短調という言葉をご存知だろうか。どこかの町の一番偉い人のことではない。また鶴の種類の話でもない。幼いころから絶対音感を持っていると言われ、人の聞こえない音が聞こえるという優れ耳を持った男が居た。年経て彼も初老の域に達した頃、それでも自然界の音を聞き分けた。例えば蝉の鳴き声はハ調のド、風の音はヘ調のドという具合だった。だいたい自然界の音は長調なのか短調なのか。普通の人には訳の分からない世界である。人が彼に聞いた。「自然界は何調なのですか?」彼はその時何かの音を聞いているようで、気が付かなかった。たまたま傍らに居た奥さんが教えてくれた。「この人幻聴なのです。」

幻聴　幻覚の一。実際には音がしていないのに、聞いたように感じること。

148

もっと暮らしがよくなるように!!

家賃は借り手から貸し手に渡る物。逆に貸し手から借り手に動くことはあるのか。世の中いろいろ事情はあるもので、ある時、地方のアパートの大家が店子《たなこ》（借家人）に家賃を払うことになった。事情はこうだ。その店子は都会に自分の一軒家がある。だが収入がない。そこで地方の安いアパートを借り、自分の家を人に貸して、多少なりとも利鞘《りざや》を稼いで生活に当てようとした。都会に出てきた大家の息子が借りることになった。大家が息子の家賃の差引額を店子に支払うというわけ。家賃の逆流話だが、これを聞いた人が店子に対し、「あ〜あ、賃家《ちんけ》な世の中だ。逆もまた賃なり」

ちんけ（さいころばくちで「ちん」が一を意味するところから）劣っていること。最低であること。また、そのさま。

149

電車の中のこわ~い話

薄目《うすめ》で考え事している様子の若い女性が、じろっと目を開いてこちらを見た。ウス目がムスメを一気に飛び越えて、ブス目になった。そこでバッグの中から何やら熊手の耳かきのような物を取り出して、いきなりまぶたに突き刺した。化粧道具であることは判ったが、名前を思い出せない。アイスピックだったか、アイクチだったか。あとから知り合いに聞いたら、アイプチだった。いずれにしても危ない凶器に見える。刺した瞬間片目がボコッと飛び出した。一瞬引いた。彼女は人目なんか気にしていない。自分の目だけ気にしている。こんな女性を何と言ったらいいのか?「出たら目」か?アイシャドウなんかで影を作っているから、見方によっては、目が四つにも見える。そんな時は、完全にどんな女になるのか?「四《し》こ目」だよ、醜女《しこめ》。

醜女《しこめ》（しこめ） 容貌のみにくい女。黄泉（よみ）の国にいたという、容貌のみにくい女の鬼。

150

はまる

1 東京のある区の議員さんが、アンテナショップを訪れた。地方には漬物《つけもの》の美味しいのがたくさんある。味噌漬け、しょう油漬け……枚挙にいとまがないが、漬物好きなこの議員さんがある漬物に嵌《は》まった。この時この議員さんはどのような様子だったのか？そう「区議漬け」だ。

釘づけ　そこから動けないようにすること。また、動けなくなること。

---

2 この区議には、好きな女性がいて彼女も漬物が好きだった。特に高菜《たかな》とか紫蘇《しそ》とかの良い葉《は》物《もの》の漬物が好きだった。漬物が取り持つ縁というのだろうか。とにかく二人は仲が良かった。そんな彼女は彼にどのように向き合っていたと思う？そんなの当然だけれど、「いい菜漬け」。結婚するんじゃない？

いいなずけ（許婚）　結婚の約束をした相手。婚約者。フィアンセ。

151

蝶の種類は数えきれない？

ある蝶の専門家が一匹の蝶を持っていた。

「貴重ですね？」―「いや、モンシロチョウだ。」

「蝶はひとりぼっち？」―「いや、蝶は必ず二匹で飛んでる」―「そうなんですか？」―「蝶番《ちょうつがい》ってな。」

「蝶は結婚なんてするのかな？」―「いいこと聞いてくれた。当たり前だよ。」―「どんな風に？」―「蝶結びって言うだろ？」―「見ず引きだ〜!!」

水引《みずひき》 結び目の形は目的によって使い分けられる。端を引くとほどけて結び直せる蝶結びは、出産・長寿など何度繰り返してもよい祝い事に、端を引いてもほどけない結び切りは、結婚・病気見舞い・弔事などの一度きりを願うものに用いる。

前座から、本番へ。蝶のリーダーは蝶長と呼ばれる。蝶長は花が好きで、……菜の花《は》に止まれ。菜の花に飽《あ》いたら桜に止まれ♫と歌にもあるように、この蝶長は桜も好きであった。ところが清純そうな蝶長は、賭け事が大好きだった。丁半《ちょうはん》賭博《とばく》にはまっていた。賭けるのは桜の花びら。まあ可愛い賭けだけれど、常に賭けるのは丁（偶数）。サクラを使って勝ち続けたこの蝶長は、何という種類の蝶だったかというと、これは八百《やお》蝶と言われた奇（黄）蝶だったのさ。潔白なモンシロチョウではなかったのさ。

八百長　なれあいの勝負。

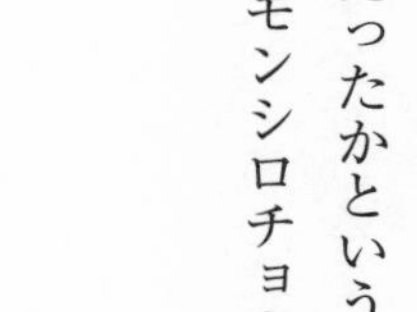

152

尽きない話も落ちでつく

ここから上に行ったらどこに行く？屋上？更に上に行くにはどうしたらいい？気球に乗って、どんどん上に行く。天国？もっと上に行けるか？問われた人が言った。「下《くだ》らないな」

下らない　程度が低くてばからしい。

153

珍説　考える足

ブレーズ・パスカルという名の人をご存知だろうか。葦《あし》のことを云々している。のっけから小難しいことを言って申し訳ない。言いかけたので言ってしまおう。〈L'homme n'est qu'un roseau, le plus faible de la nature, mais c'est un roseau pensant.〉（人間は一本の葦でしかない。自然の中で最も弱く、だがそれは考える葦だ）判るような、はめられたような？

ところで葦の密生地がある。そこに入り込んだら方向を見失う。よし（良し）と思って進入しても、やはり悪し（葦）だ。ついでだが、よしは葦（悪し）の忌み詞《ことば》だ。葦元を見ながら進んでも、暗くなると足元に火がつくから、結局は人は密生地では葦元に及ばない。人はしがない葦よりも弱いのだ。パスカルは葦の密生地を知らなかったみたいだ。甘かった。葦に勝つためには、踏破する脚力、足を鍛えなければならない。足のことを考えよう。ということは人間は足そのものであり、自然の中で最も華奢《きゃしゃ》で、だがそれは考える足である。現代はそういう時代だ。

足元に火が付く　危険が身辺に迫っていることをいう。

華奢　姿かたちがほっそりして、上品に感じられるさま。繊細《せんさい》で弱弱しく感じられるさま。

154

正の思考と負の思考

ロマンチックとか乙女チック、漫画チック……のようにチックが付くと悪いイメージは浮かばない。むしろかわいらしさの風景が見える。そうしたチックに対する積極的な正の姿勢を総合的に何と言うか考えたことはあるだろうか? 早い話が、「プラスチック」と言ってしまおう。ところが同じ名前を使って、ごみと化した悪いイメージが世界的な問題になっているけれど、マイナスチックという物質は聞いたことがない。そんな材料ができれば、ごみの問題も解決するのではないだろうか。このことばかり考えて悩んでいる時は、チック症(畜生)といって、失望の日々を送る。

155

何匹数えれば達成か？

羊が一頭、ヒツジが二頭……と数えていたら、いつの間にか眠ってしまった。翌日はネズミが一匹、ネズミが二匹……と数えていたら、目が冴えてしまって、眠るつもりが眠れなくなってしまった。止むに止まれずどうなっただろう？ そう、のっ匹《ぴき》ならなぬことになってしまった。何チュウことだ。毎晩ネズ（寝ず）に二十日間も数え続けたら、二十日も寝ない身になってしまって、自分がネズミ男になったという。どんなネズミだ。「二十日寝ず身《はつかねずみ》」だと。昼間は寝ていたというけれど……!!

のっぴきならない　避けることもしりぞくこともできず、動きがとれない。ぬきさしならない。

はつかねずみ　ネズミ科の哺乳類。実験動物や愛玩用にする。

156 あぶないっ!!

1

蒸すような暑い日本の夏。古い石畳の上をたくさんの人が歩いていた。ある所に来ると、多くの人がそこで転んだ。そこには何があったのか？「コケ」。皆がコケたんよ。すっ転んでずっコケだ。そこにイギリス人が居て、とっさに言った。「Have an eye !!（ハあぶァない!!）」

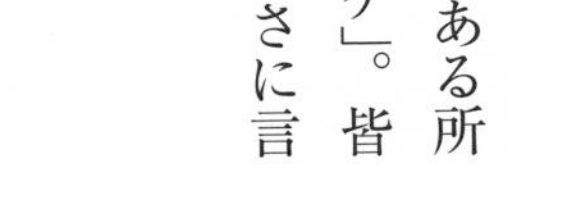

苔《こけ》　湿地や岩石・樹木などに生え、葉状または丈の低い草状をしている。

転《こ》ける　たおれる。ころぶ。

2

だがその苔《こけ》は食用にも薬用にもなるらしいと言われ、料理研究家達がプロジェクトを立ち上げた。まず湯気を当てて熱を通し、泡状にした。その間、「苔のムース」……まーぁぁで。

国歌（家）プロジェクトだった。

ムース　泡立たせた生クリームや卵白を用い、口当たりがふんわりして滑らかなように作った菓子や料理。

3

若い女性がこれを食べると、美容と色気に効果が出て、かわいくなるという。それをコケ（苔）ット（coquette）と言うそうで。因みに男はそんなこと考えもせずに頭の中には何もなくてガラン（galant）としているそうだ。

---

coquette　色っぽい女性。また、そのさま。

galant　口説く男。色男。

157

仕事は戦い

仕事を始める前にまず朝風呂に入る。ひと昔前には金を払ってまでも朝風呂に入った人が多かった。今でも自宅でそうする人は多いであろう。今は朝風呂で快適気分を求めるのだろうが、かつてはどんな心意気だったのだろうか？仕事も大変だったであろうから、気分の引き締めもあった。気合を入れて、まさに「銭湯開始」（戦闘開始）。

銭湯《せんとう》　公衆浴場
戦闘　戦うこと

158

地震の国

1

日本は地震国。これだけ頻繁に起こっても、予測・予知が難しいのが現状だという。しかし最大級の地震が起こるかも知れないと専門家は言う。震源がはっきり分からないのに何故そんな予測ができるのか?だけどこれだけは専門家も自信を持っている。それは何?「難解地震」だということ。

南海地震　紀伊半島沖から四国沖にかけての地域を震源に発生する大地震。南海道地震。南海トラフ地震。

2

分かってない人間が口をはさんだ。何回って?そりゃ一日に一回はどこかで起こっているさ?!!

159

アパート　隣室の怪

隣の部屋で何やらごそごそ音がする。隣人が警察に電話した。警官が直ぐにやって来て「何事だ!!」。住人は答えて「私事でございます」。警官は「個人的な事を聞いて申し訳ないが、闇事《やみごと》はしていないか?」。住人答えて「止《や》ん（む）事《ごと》なきことでございます」。何故か警官は落ち着かない様子で黙って立ち去った。事なきを得た。

やんごとない　そのまま捨てておけない。なおざりにできない。

160

歯医者の事情

歯医者の世界にはボクシングが好きで、実際に戦ったり、世話をしたりする人が結構居るらしい。ある歯医者の話だが、ボクシングが好きで練習を重ね、やっとリングに上がったが負けてしまった。正面から打たれ、歯が折れてしまった。幸い傷が浅く完治も速く、試合に復帰できることになった。つぎの第二試合は彼にとっては絶対に負けられず、勝つと宣言しているが、これは誰もが納得する「歯医者復活戦」。リングサイドにはいざの時のために歯医者が待機している。司会は歯科医ということはないが、司会者はこの待機歯科医をリング上で紹介すると言った。歯科医はリングに上がるのは無理だと渋ったが、何もしなくていいから、リングに上がってほしいと言われ承諾した。この歯科医の気持ちを動かした言葉は、「入れ（居れば）歯いい」

161

布を織《お》る

機《はた》織《お》り工場にアルバイトを紹介して、長時間労働をさせ、彼らから上《うわ》前《まえ》をピン撥《は》ねした男が捕まった。罪状は明らか。「織れ織れ詐欺」

オレオレ詐欺　「俺だよ、俺」と言って架空の口座に現金を振り込ませる手口の詐欺。平成16年（２００４）12月、警察庁が命名。（同類既出30）。

162

初めてのコースマラソン

死に物狂いで一位で走って来たのだが、T字路で左に曲がるのか、右に曲がるのか判らなくなった。そこで声援を送っていた人に聞いた。「どっちだっけ?」応援者たちは一瞬引いて「どっちらっけ」

どっちらけ　「しらけ」を強調した語。ひどく興ざめなことをいう俗語。

163

いらつかせかまとと外国人

医師学会の会場受付でチェックがあった。日本語のおぼつかない外国人が現れた。「肩書をお教え下さい」－「かたがき？よく分かりません。渋柿、甘柿は分かります。」。「身分は？」－「みぶん？親分、子分ですか……？」。「では……仕事は？」－「しごと？夜《よ》ごと寝言《ねごと》を言うそうです。」。いらついた受付が「何者ですか？」－「なにもの？よそ者変わり者です。」。「あなたは何をしているのですか」－「ああ、あなたと話をしています。」。受付の人はもうだめだとあきらめて「噛みあいません……」。その時「噛みあわせなら治せます。歯医者なもんで」

164

髪型

おすべらかしと発音するのは難しい。高貴な婦人が髪結いに来て、この髪型をお願いするのに言葉が出てこない。おすらべかし……ん？……おすかべらし……ではなくて……おべらすかし……調子に乗るととまらない。店の人が「ああ、おすべらかしですか？」――「そう、おすべからし」何とも歯がゆい会話だが、この客は髪を結う前にどうしたというのだ？「口を滑らかした」のだ。確かにいったん間違うと、本当の言葉が出なくなる。

すべらかし　女性の髪形の一。江戸の初期まで成人の女子の髪形であったが、のちには高貴な婦人の正式な髪型となった。さげがみ。すべしがみ。すべしもとどり。おすべらかし。

165

よく判らない話

おかまさんは話し方の達人だと思う。楽しそうによく喋《しゃべ》る。ある時おかま興行トークショウがあって、何故か理由は分からぬが、入谷《いりや》（ヤを入れる）に集まった。

おかま衆　入谷に収結　おヤかま衆

なんて言った人も居たかどうか分からぬが、賑やかだったに違いない。ところで彼（女）らは男の気持ちも女の気持ちも分かっている？ それじゃ男と女と両性を謳歌していて、人生二倍楽しんでいるのではないか。聞けば、難（男《なん》）色を示して、「おかま居なく!!」でもおかまは居ます。かま変ね？

入谷　東京都台東区北部の地名。

166

だん違い

警察学校での話。警官が凶悪な者が撃った弾丸に倒れた場合の応酬の仕方について、教育係官が拳銃を持って生徒の前で実演をして見せた。ところがどう間違ったのか、拳銃が暴発し、自分が倒れてしまった。目前で見ていた生徒たちは、即座に言った。

「教壇に倒れた!!」

凶弾　凶悪な者が撃った弾丸。

167

ほどほどの距離

親分は弟分をかわいがらなくてはならない。しかし常に身近に置いておくわけにもゆかない。ある距離を保って、関係を緊密にしている。しかし拳銃を持っていて、何か事が起こって仲違いすれば撃たれるかもしれない。撃たれても怪我しない距離というのはその世界では「舎弟距離」とか。

舎弟　自分の弟。実の弟。また、弟分。

射程距離　弾丸が届く最大距離。

168

国歌斉唱

ある式の予行で、国歌斉唱の練習があった。ところが何度くり返してもうまくゆかない。最後の一節でつまづいて、またくり返す。「苔《こけ》の生《む》—す—ま—あで」。誰かが言った。「生《む》—す生《む》—すって、生《む》す返し」だ。その一言で皆が「苔《こけ》た」

苔《こけ》生《む》す　苔が生える。

蒸し返す　一度解決した事柄を再度問題にする。

こける　たおれる。ころぶ。

169

「あくび」の哲学？

美は価値として善なのか、悪なのか？こんなことを人前で話してみても、人は何の関心も示さない。飽《あ》きてつまらなそうに「飽《あ》く美」なんかしている。これは失礼というもの。「飽く美」なんかは決して美しくない。「悪美」だ。ところで欠伸《あくび》は「開《あ》く美」と書いたら、口を開くだけで美になるけれど、「あくび」が「美」だとは哲学だね〜〜〜!!でも顔によるんじゃないか？これは経験と感と（カント）による。

価値　哲学で、あらゆる個人・社会を通じて常に承認されるべき絶対性をもった性質。真・善・美など。

カント　ドイツの哲学者（1724〜1804）。……道徳的価値や美的判断の根拠も明らかにする……

170

どっちもどっち

皮膚科の医院に一人の患者がやって来た。「どうしましたか?」―「腰のあたりが痛いのですが……」―「足を動かすと直接に痛いですか?」―「いいえ、関節（間接）に痛いです」。話が噛みあわない。「話の腰を折らないで……」―「先生、腰は曲がるんです」。意志（医師）疎通に欠けて、「関節のことなら、直接に専門医に行きなさい」―「どの辺にあるのでしょうか?」―「形成（京成）です」―「はあ?」この医者は関節の事については、直接に知らなかったようだ。因みにこの皮膚科の医師の名前は「只野一二三《ただのひふみ》（皮膚見）」だった。

171

顔に出る誇り高き歩みのしわ（線）

顔の中に鋭いとか優しいとかいう線がある。それは「目線」。実際にある線ではない。肌に出る線はしわだけれど、誰もが32本あるというわけではない（しわ32）。そのしわだけれど、豊かで麗しいのは、その人の人柄が偲《しの》ばれる。そんな人は掟《おきて》に従って、きちんと仕事を守り通している。その所作《しょさ》は外国語好きの日本人がコンプライアンスとかいってるけれど、そんな彼らが意識せずに顔に持っている人柄のしわって何だね？「法令線」

法令線　　人相学で鼻唇溝《びしんこう》のこと。

コンプライアンス　法令遵守

172

かきの季節がやって来た

牡蠣《かき》料理を出す牡蠣食堂があった。会計は常に現金によるのみだった。ある日客が牡蠣を食べていたら、寺の鐘が鳴るのが聞こえた。年寄りだったので耳鳴りだったが、昔、その辺では、柿をあしらった料理を出す食堂が多かったという。そのころ寺の近くには、よく柿食う客が居たのだろう。滑舌を試しているわけではない。それはそうと何が言いたいのか。牡蠣は生《なま》ものだから、火の側に置いておくのはよくない。牡蠣にとって絶対にいけないのだ。それを何と言うかといえば、「火気（牡蠣）厳禁（現金）」。「かき」といってもいろいろあって、書（掻）き混ぜてしまった。

牡蠣は寒い時期に美味しくなり、牡蠣鍋として好まれる。具を仕込んだ鍋にいつ入れるか。早すぎても、遅すぎても美味しくない。最も味よく食べるには、どんな時がいいのかご存知か？「牡蠣入れ時」っていうのが常識だ。

書き入れ時　（帳簿の書入れに忙しい時の意から）商店などで売れ行きがよく、最も利益の上がる時

173

心の隙間《すきま》

ある時、カラスと鵜《う》が喧嘩した。カラスは鵜を見下して「俺は大きくて賢い。お前に負けるわけがない。さあ来い。」とばかりけしかけた。鵜はそんなことを鵜呑《うの》みにするほど馬鹿ではなかった。カラスは先手で鵜を煽《あお》ったが、カラスのカラ振りで終わった。その瞬間、鵜に討《う》たれて負けた。初めからこのことはわかっていた。何故かと言えば、カラスの脅しがカラきし様にならず、すでにその時「鵜勝つ」だったのだ。

からきし　まったく。まるで。全然。（あとに打消しの語、または否定的な表現を伴って用いる）

うかつ　うっかりしていて心の行き届かないこと。また、そのさま。

174

もち付きの話

気持ち、金持ち、やきもち、あんころもち……いろいろな「もち」があるけれど、花もちというのはあるのか？花餅は笹餅のことだから「ある」。では鼻持ちはどうか。これは臭気を我慢することで、そんな状況の中に居る「鼻持ち」なら……「ある」。だが、鼻持ちなら「ない」というのもある。一体、鼻持ちはあるのかないのか？気持ち悪い。

鼻持ち　臭気をがまんすること。
鼻持ちならない　言語や行動ががまんできないほど不愉快である。

175

夜空のかけ引き

夜空に輝く星たち。地球上に国々があるように天空においても星座に分れている。地上にも め事があるように、星座間にもいろいろあるようだ。今では国境にあたる星境を越えて、自由に星座間を駆け巡る。人社会と何ら変わりない。まず乙女の在・不在を確かめたのは「いるか座」。それを聞いて誘惑しようと動いたのが「さそり座」。乙女座には別嬪《べっぴん》の星が多数居た。さそり座の不埒《ふらち》な行動も然《さ》ることながら、そこに「てんびん座」現れて、乙女の品定めを始めたから、腹を立てたのが「かんむり座」。怒ってみてもしょうがない。てんびんで勝負に負けて傷心したのは「いて座」。大物星座で星座間の監督をしているのが「しし座」。しし座は裁判を開き、「誰がこんな天空の秩序を乱したのか。名乗り出よ。」と言ったら、ある正直な星座が名乗り出た。それは「わし座」だった。彼は罪を自分で背負うような「やく座」な星に生まれたが、そんな最中にしゃしゃり出て事態を止めようとしたものが居て、結局事態はあやふやになってしまった。そのしゃしゃり出たのは何座?·そう、「とん座」だった。そんな様子を地上で見ていて、物言いたげに、にんまりと含み笑いしている女性が居た。豪商の妻らしく、いい星の下に生まれて歴史に名を残す人。誰?「モナリ座」

頓挫　計画や事業などが途中で遂行できなくなること。

176

丁寧《ていねい》が徒《あだ》となる

感触に関する言葉として、目ざわり、耳ざわり、舌ざわり、肌ざわり、……いろんな「さわり」があるけれど、さわって悪いのは、目ざわり、耳ざわり。さわっていいのは、舌ざわり、肌ざわり。ひっくるめて「おさわり」はご法度《はっと》。丁寧に言ったらダメだった。

触《さわ》る　手などをそのものに軽くつける。舌触り、肌触り、歯触り。
障《さわ》る　差支《さしつか》える。じゃまになる。妨げとなる。目障り、耳障り。

177

きく違い

人は普段、目で見る、口で話す、耳で聞くのが当たり前と思っていないか。目、口、耳をひとつずつずらすと、目で話す、口で聞く、耳で見るとなる。確かに目は口ほどに物を言うし、声を出さなくても口が動けば自分の声が聞こえる、耳を澄ますと風景が見える。ある時日本語が解っているような外国人が、鼻だって「きく」（利く）のだから、目も当然「きく」のでしょう?口だって「きく」ものです。耳は距離と速度を感じるものです。この人、日本語が解っているのか、解っていないのか、よく分からないが、確かに世間では当たり前にそう言っている。この外国人は頭がいいのではないか?

鼻が利く　嗅覚が敏感である。敏感で物を見つけ出すことなどに巧みである。
目が利く　よしあしを見分ける能力をもっている。
口を利く　ものを言う。仲を取り持つ。
耳が遠い　耳がよく聞こえない。
耳が早い　物音や世間のうわさなどを聞きつけるのが早い。

178

いつまでも清々《すがすが》しく

70歳は古稀。ひと昔前は70歳まで生きるのは稀《まれ》だった。しかし今は70歳なんてなんのその。古稀の身でも健康状態は良。行動もすっきりしていて気持ちがいい。こんな状態を何というかご存知か？「古稀《こき》身《み》良《よ》い」なんて？

小気味好い《こきみよい》　行動ややり方などが鮮やかで気持ちがよい。

179

お礼の言葉

災害に見舞われた地域に食料が不足した。特に塩と砂糖が必要だった。やがて救援物資が届いて、しばらくしたら砂糖に蟻が群がっていた。蟻も腹を減らしていたようだ。ある時テレビの報道でその様子が中継された。見ていた人が砂糖についていては本当に嬉しかったのだろうと感嘆して言った。「蟻がたかったんだね」んっ？

180

女心は甘くない？

1 仲のよさそうな恋人同士が居た。女性は大層な美人で、周囲の男は黙っていない。ある時二人の間に一人の男が横恋慕《よこれんぼ》してきて彼女に近づいた。まあそこそこの男だったが、出し抜けに「卵の白味と黄味ではどちらが好き？」今ではすっかり色褪《あ》せた駄洒落を言ったところ、彼女はすぐさま返事をした。「白味」。それですかさず「僕は黄味が好き」とか言ったもんだから、一発で嫌われた。男はその場で立ち去った。その時傍《そば》に居た彼氏の気持ちはどうだった？「黄味（気味）がよかった」

気味がいい　好ましく思っていない人が災難にあったり失敗したりして愉快である。

2 だが次の瞬間彼女は彼氏に言った。「黄味は嫌い」。彼氏の気持ちは複雑だった。やがて二人の関係は雲散霧消《うんさんむしょう》と消え去ったのだが、彼らの恋は……半熟だった。

181

いろんな坊がある中で……

暴れん坊、甘えん坊、怒りん坊……という言葉がある。坊がついて人の様態を示している。四月桜の季節になって花見をしているのはいいのだが、酔っぱらって気がおかしくなっている人も多い。こんな状態の人を何と言うか。ひとことで言えば「錯乱坊」だ。しかし桜ん坊と重ねてはいけません。何故ならば、桜は多少「花持ち」があっても、錯乱坊は「鼻持ちならない」からなのです。酔っぱらいの殿方、よろしゅうござんすか？

花持ち　生け花などにした花が、しおれずに長持ちする度合い。

鼻持ちならない　言動や行動ががまんできないほど不愉快である。

182

中学生で熱中する

ある中学生が受験を前にスマホに夢中になり、目をやられて病気になった。ユーチューバーになりたいと思っている。目の病は覚悟しなければならなかった。当然進学を希望して、高校に受かることには成功したのだが、何事も中学生の時に病気になるほど熱中することが今では常識だ。何故って？「病高校に入る」って言う？

病膏肓《こうこう》に入《い》る　物事に熱中して抜け出られないほどになる。この句の場合、「入る」を「はいる」とは読まない。

183

子供のしつけ

子供は返事をするのに「うん」と言う。ある小学校のクラスで先生が、「うん、というのをやめて、はいと言うようにしましょう」と教える。そのために「うん」をしばらく中止して、「はい」と言うように周知することを「計画うん休」とかって言うんじゃないのか？

計画運休　台風などによる被害をできるだけ小さく留めるために、交通機関が事前に予告した上で運行を中止すること（ネット）

184

イケメンとそれ以外

1

変顔《へんがお》大会というのがあって、それぞれが得意の顔をした。中に一人だけ、お前は真顔《まがお》で出た方がいいと言われて傷ついた男が居た。周囲からは笑われたが、何もせずに出たら一番になった。他の出場者たちは声を揃えて言った。何と？「顔負けだ!!」

顔負け　相手の技量・態度などに圧倒されて、きまりが悪くなったり、あきれたりすること。

2

その後、彼は友に顔向けができたのか、できなかったのかわからない。ただあの一件によって、顔見せ外交は成功し、名前が知られることになった。美徳がもたらしたとは決して言い難いが、醜徳《しゅうとく》という言葉があれば、人は大なり小なり崩れていてもチャンスと名誉はあるというもの。

185

手の扱いは難しい？

1

手を貸すとか手を借りるという。手の貸借なんてあるのか？ある時、手を貸し過ぎた人が過労で倒れた。二人の間にいやな空気が立ち始めた。貸した方は変な話だが、貸した手を返してくれと頼んだ。借りた人は何だか良く解らない。とにかく世話になったので介護をした。それで病は急転して治った。その様子を見た人は何と言っただろうか？「やはり手の貸借というのはあるんだ。手を返したんだ。」

手を反《かえ》す　きわめてたやすく行うことのたとえ。また、ちょっとの間にがらりと変わることのたとえ。

2

そこで両者はわだかまりなくハイタッチ。こんなのを世間では「手を打った」なんて言うのかい？

手を打つ　話をまとめる。また、仲直りをする。

186 フランス人は日本語を知っている?

1 フランス人にお菓子をひとつあげた。すぐにお礼の返事が返ってきた。さすがフランス人。礼儀作法はしっかりしている。何と?「アンガト」だと。

---

un gâteau [œ̃gato]　菓子

---

2 教師が黒板にたくさん書くと、最近はノートを取らずにスマホでスマせる学生が居る。教師はそうさせまいと書いたらすぐに消す。フランスではそんなことはず〜っと前から当然のこととして日常的である。「消す癖《くせ》」だと。それって何?

Qu'est-ce que c'est ? [kɛskəsɛ]　それは何ですか?

3

風邪をひいた。鼻がぐずついて仕方ない。椅子に座ってぐったりしていたら、フランス人が「テビエン?」と言うから、「そう、鼻炎《ビエン》」と返事したら、そのフランス人安心したような顔してた。なな～んか意思疎通できていないような気がするが……

T'es bien ? [tɛbjɛ̃]　テビエン?（心地《ここち》はどう?）
C'est bien. [sɛbjɛ̃]　セビエン（いいです）

187

幸せですか?

A男は超人気タレント。B子は上り調子だがいまいちのタレント。両者はそれぞれ幸せを感じながら別々の人生を歩んでいた。ある時思いがけない二人の出会いがあった。四《し》あわせ（幸せ）同志二人だから、誰が何と言おうとも八《はち》合わせ（鉢合わせ）に他ならない。ところでこの鉢合わせが倍の幸福と結びついたかは誰も知らない。ただB子はその後人気者になったという。ということは、あの時の鉢合わせ以後、二人の間で何が功を奏したというのだろうか。まあその～～～、売れっ子といまいちとの「抱き合わせ」がよかったんでしょうね。

抱き合わせ　売れ行きのよい品に売れ行きの悪い品を組み合わせて売る。

188

勝負師

若いころから将棋の名人として知られた勝負師が居た。その年は彼にとって還暦の年男だった。世間では定年と言うこともあるが、その世界に定年はない。毎年地方で行われる勝負では全勝を貫き、やがて都会に出てきた。都会は甘くない。強者《つわもの》ぞろいでしかも若い。彼はなかなか勝てなかった。その時彼は気付いた。自分は老いてしまったと。自分は地方で勝負するのがいいのだと。彼の気づきはひとことで言うと何だった？「都市（年）には勝てない」ということ。だが今の彼には、年に奮起（奮年《ふんとし》）して喜び、心を締《し》めてもらいたい。世間では「奮年《ふんどし》を締めてかかる」とか言ってるようで、女性には理解しがたいかも……

年には勝てない　年を取ると、健康や体力が思うようにならない。
褌《ふんどし》を締めてかかる　決心を固くし、気持ちを引き締めて事に当たる。
褌　男子の陰部をおおう布。下帯《したおび》。

189

どうしてもかないません!!

世の夫婦は結婚して十年も経てば、夫が妻に愛想を尽かす、というか居場所を失う。夫の言い分：家内に尽くしてもその結果、いつも浮かない顔をして、まかないもおぼつかない、どこにも行かない、話も聞かない、強く言っても驚かない。狭い庭だが、花の種も蒔かない。だから花も咲かない。棚の物を下ろそうとしても、背が低くて届かない。ああ、全く「かない」ませんな。亭主が、北海道出身の奥方に「お前は、ないないづくしに輪が掛かっている妻だな。生まれたところの土地柄かい？」奥方、とぼけて知らぬふりした。そしてすぐさま「あら、私は輪家内《わっかない》（わからない）」だと!!

稚内《わっかない》　北海道北端部の市。
家内　妻。

190

ポテンシャル？

スマホオタクの女性が居た。いつも幸せそうにスマホをいじっていた。美人かというと、今《いま》風《ふう》というより古《いにしえ》の典型的美人というような顔立ちであった。ある時、人が彼女に聞いた。「幸せそうだね。」「はい、私幸福です。」その人、この一言で気が付いた。こういうオタク女性は、ポテンシャル？にかなり居るんじゃないかと。えっ？どういう女性だって？そう、オタ福だよ。お宅にそんな女性はいませんか？

ポテンシャル　潜在的な力。可能性としての力。

お多福　おたふく面のような顔の女性。（昔の美人の典型だと聞いている。）

191

ほら見たことか

「ブォ〜〜〜」少年は法螺貝《ほらがい》を吹いた。それで法螺吹きと言われて迷惑していた。少年だから大法螺《おおぼらふ》吹きではなくて、小法螺《こぼらふ》吹きだった。彼は些細なことを大げさに言うこともなかったし、極めて普通の子供だった。ただ自分の法螺貝を、時々どこかに置き忘れて、いざ吹こうとする時に見当たらない。そんなことを繰り返し、少年は大人になった。大きくなれば多少は図々しくなるもの。世間は見ていた。そして言った。「小法螺は出世したのかどうかわからぬが、とどのつまり、図法螺《ずぼら》だねー。」と。

とど　最も成長した段階のボラ。

ずぼら　行動・性格がだらしのないこと。また、そのようなさまやそのような人。

192

ファミレスでの怖い話

料理を注文して、その後瓶ビールを頼んだ。一人のつもりだが、「グラスはいくつお持ちしますか?」「えっ?」返答に困ったが、一個と言ったものの「貴方飲みたければ二個」なんて言ってみた。「私はまだ飲めないので……」未成年の店員さんだが、客としては引く引く~。或いは店員さんには、私のほかに誰かが見えたのか?私一人のはずだが、もしグラスの数を確かめずに二個持ってきたら、恐ろしくないか?しかも「先ほどの方はお帰りになったんですか?」なんて言われようものなら、逃げ出すよ。これには泡を食っちまう!!

193

ファミレス仕返しバージョン

ファミレスに一人で入って、店員さんが注文を取りに来て、料理を頼み、瓶ビールを一本注文した。「グラスはいくつお持ちしますか?」というから、前の空席に向かって「君も飲む?そう、ではグラス二つお願いします。」店員さん青くなって、泡ってた。ははは、泡を吹かせたぜ。

泡を吹かす　人を脅かし、あわてさせる。

194

物事は決めてかかるべし

姓名判断の占い師が居た。名前の画数を計算して、将来の運勢を占った。なかなかの人気で行列ができるほどであった。ところが休む暇なく仕事に精出したために疲れて倒れてしまった。それでひとまず休むことにした。画数計算の占い師が休んだので、ファンの人たちは何と言って残念がったのか？・そう、「健康維持のためには計画（画数計算）運休すればよかった。」（別バージョン１８３）

計画運休　台風などによる被害をできるだけ小さく留めるために、交通機関が事前に予告した上で運行を中止すること。予告運休、事前運休とも呼ばれる。（ネット）

195

普通とは違うが味がある？

スタイルの素晴らしい、しかも美人の女性が居て、ある企業の先駆的立場を任されていた。ある男が「乙な仕事をしていらっしゃいますね。」と話しかけた。「はい、私はパイオニアなんです。」それを傍らで聞いていた別の男が乙な仕事と聞いて、興味津々尋ねた。彼女はブラジャーメイカーの先駆者だった。乙な仕事のパイオニア。それでブラジャー作り。ま、でき過ぎの話だと攻めないで、優しく包み込んで下さいな。

乙　普通と違って、なかなかおもしろい味わいのあるさま。

196

月の重さ比べ

月を見ていると満月、三日月……あるけれど、満月は闇の中で重そうに浮かんでる。それに比べれば三日月は軽そうだ。ウサギもどこかに行ってしまった。満月は満ちていて重量感がある。本当にそうなのだろうか？まあ、重い月（思いつき）だが絞《しぼ》り出してこの程度。月（突き）飛ばしてくれて構わない。

ところでご存知か？月にはウサギではなく獺《かわうそ》（うそ）がいて、餅つきではなく、獺祭《だっさい》の姿なのだ。天の川で取れた魚を並べているらしい。月並みの話だ。ダサいと言って欲しくない。ウサギの月と言わずに……（かわ）うその月って言ったら、嘘つき～っと言ってたしなめられる。

そんな時は甘んじて受けよう。

獺祭　カワウソが自分のとった魚を並べること。人が物を供えて先祖を祭るのに似ているところからいう。

197

新聞に載る

子育て熱心で、顔だちのいい父親が、熱心過ぎて疲れ果て、子供に危害を加えてしまった。このことが新聞に取り上げられたが、こうした記事は第一面に載るべきなのか？事件だから社会面か？子育てだから教育面か？どの紙面で扱われるべきなのだろうか。まあ、育メンでしょうかね。何、勘違いだって？面を誤ったようで、「誤面（御免）」シャイ。

育メン　「いけめん」のもじり。多く「イクメン」と書く。育児休暇を取得したり、父親同士の会合に参加するなどして、子育てを積極的に楽しもうとする男性。

198

禁煙か、喫煙か

あるファミレスにおとなしそうな男性が入ってきた。静かな音楽が流れていた。店員が「禁煙席、喫煙席どちらですか?」「すいません。喫……」そこで店員すぐさま「こちらへどうぞ」と言って禁煙席に案内した。客は当てが外れてもじもじした。それでとっさに言ったもんだから、ちょっと舌がもつれて「あのー、吸いまスルー」。一瞬沈黙があって顔を見合わせたが、それで店員は彼を喫煙室に案内した。だがそこでは周りの客が居眠りしていた。機転がきく店員は言った。「睡魔がスルーしたんですね」。かつて「たばこする」(煙草吸う)という言葉が流行ったが、この店の客たちは喫煙室だったから「たばこする」して満足して眠っていたのだろう。先ほどは、客と店員の間には何となく気まずい雰囲気が流れて、一瞬沈黙があった。ところでこんな経験ありませんか。あ~どうしようと思いながら、時が過ぎて行く。言葉が出てこない。咳払いでもしますか?こんな時フランスでは「天使が通る」(Un ange passe.)なんて言ってお互いにほっとするけれど、ここでは睡魔が通っていたようだ。

199

規則は守ること

路上禁煙区域の通りで、煙草を吸っていた男が指導を受けた。規則違反だから仕方ないが、喫煙して捕まった時はどうすればよいのか。それはもう吸わないことをひたすら繰り返し訴えることだ。「吸いません。吸いません。」指導員は悪い気はしないだろう。

200

ある日の牧場

牧場に来た。牛がたくさん居る。草を食《は》んでいる牛も居るが、黙って口を動かし、何かを食べているような牛が多い。中には異常に口を動かしている牛も居る。喉《のど》に何かを詰まらせたのか? いずれにせよそんな牛の割合はどのくらい居るのだろうか。ま、ざっと過反芻《かはんすう》(半数)と見たね。或いは反芻(半数)近く居るかも知れない。

反芻　一度飲み下した食物を口の中に戻し、かみなおして再び飲み込むこと。
過半数　全体の半分より多い数。

201

不可解

貝を養殖して生き甲斐を感じている人が居た。生き貝という貝を特別に育てているわけではなく、そんな貝があるわけないが、見せてもらったら思いもよらない貝を見せてくれた。何の貝だと思う？「貽貝《いがい》」（意外）だった。

貽貝　イガイ科の二枚貝。外面は黒褐色、内面は真珠色。肉は春に美味。地方名が多く、せとがい・からすがい・しゅうりがい・にたりがいなどがある。

202

花の季節

春になり露天商が出て、花が並んだ。チューリップ、すみれ……人がたくさんやって来た。たちまち花は売り切れた。「貴方は何を買ったのですか？」「私はチューリップ」「私はすみれ」……そんな会話のやりとりの中で、何の花も持たない人が居て、買った様子がない。誰かが「貴方は何の花を……？」と聞いた。聞かれた人はさり気なく答えた。「私はさくら」

さくら　露天商などの仲間で、客のふりをし、品物を褒めたり買ったりして客に買い気を起こさせる者。

203

目はいいですか？

目の見え方に近視、遠視、乱視がある。近視は近くのものは良く見える。遠視は遠くのものが良く見える。乱視は歪んで見える。多くの人はそのいずれかの悩みを持っている。だがそんなことを気にもせずに生活している人が居る。その人の目はどんなタイプの目だろうか？そう近くも、遠くも「無視」というタイプだ。その人については、周囲もわかっていて、別にとやかく言わない。そんな周囲の目を何というか？まあ、何も言わずに「黙視」とか言ってる。

黙視　黙って見ていること。

204

捩《もじ》り足

電車に乗ると、目の前に座っている女性が脚を組んでいる。そのくらいのことならば私にもできる。ところが膝の上に持ち上げた脚の先を、別の脚のくるぶしの上あたりで内側にひっかけている。縄を綯《な》っているようだ。捩《もじ》り足と呼んだが、確かに脚は長い。それに似た名前のモジリアニが描く女性は首が長かった。でも首は捩《ね》じれてはいない。首が捩じれていたら死んじまうから描線は素直《すなお》だ。それで脚に戻るのだが、冗談じゃない。股関節がどうなっているのか。不思議だ。男にその姿は殆ど見られない。まず足元に及ばないから、つま先が絡《から》まることはない。ところがある男性が女性の真似をした。女性の素敵《すてき》という褒《ほ》め言葉に絆《ほだ》されて、気おくれしていたにもかかわらず、悪びれず試みた。どこかの骨がグキッといった。受けを狙《ねら》って調子付いたのが徒《あだ》となった。そんなことして受け狙いすることを何と言うかご存知か？骨まで折ってしまって、まあ、世間では「骨折り損の悪びれも、受け」とはよく言ったものだ。

骨折り損の草臥《くたび》れ儲《もう》け　苦労しても、疲れるだけで、少しも成果が上がらないこと。

205

縄を綯《な》う

1

かつて縄を生産することで知られた町があった。縄を縒《よ》ることを縄を綯《な》うというが、この言葉はいずれ廃《すた》れるかもしれない。だいたい最近は縄を見かけない。私が子供の頃は、藁《わら》を木槌で叩いて柔らかくし、それを手のひらに三本を乗せて縒《よ》り合わせ、綯《な》ったが、私は親から教わって今でも綯《な》う自信はある。それはともかくとして、その縄の町に多くの職人が集まり、実演して見せ、旅行者を集め町おこしをした。一人の職人風の男が、彼らの間に入って親しそうに話していた。彼は実演をしていなかったが、見物人は彼に聞いた。「貴方は縄を綯《な》う名人で、名のある方のようにお見受けしますが……」果たして彼は縄を綯う有名人なのか。かれは即座に答えた。「私は縄については綯《な》わない（名は無い）です。」結局、縄を綯わない普通の人だった。

綯《な》う　糸やひもなどを1本により合わせる。あざなう。

2

人は縄を綯《な》って実演している職人に聞いた。「縄は一日のうちでいつ仕上げるのがいいのでしょうか?」職人答えて曰く「綯《な》う（now　今）でしょう。」実演して見せているのだから、人は「綯《な》うほど」と言って納得した。

206

知恵比べも無駄？

フクロウは夜行性で肉食。夜、羽音《はおと》を立てずに飛び、野ネズミやウサギなどを捕食する。ネズミもウサギもフクロウのことは知っていて、無理な遠出はしない。いざ危険が迫るとすぐに穴に逃げ込む。ネズミは鼻が利くので敵が近づくとすぐに察知する。フクロウの臭いには敏感だ。ウサギは耳が利くのでかすかな物音に反応する。だが羽音をさせないフクロウは最大の天敵だ。ある暗い夜の森で、ネズミとウサギが穴から出ていた。フクロウは両者に気が付いた。だがフクロウは、どちらを先に狙っただろうか。決断は早かった。「あのネズミは俺のものだ」と思った瞬間、ネズミを襲った。フクロウの脳裏に走った思いとは何だった。そう、「フクロウのねずみ」だ。

袋の鼠　逃げ出すことのできない状態のたとえ。袋の中の鼠。

207

職場の色事情

「都丸道夫」という名の人が居た。と思えば「前方進《まえかた》」という名の人も居た。そこに「為来歩《ためらいあゆむ》」という名の人が居て、同じ職場で働いていた。偶然とはいえ何かを思い出させはしないか。ここに「一色信吾」という男が新入社員として入ってきた。よくあることだがいじめにあった。信吾はろくに口もきいてもらえなかった。3人は信吾無視ということでパワハラ（スメント）処分として厳重注意を受けた。都丸は大恥をかいたが、どんな恥だった？そう、赤恥だった。進は顔色を失ってどんな様子だった？そう、青ざめた。為来はどうしていいかわからず、どうなった？そう、黄（気）を揉《も》んで、気が黄（気）ではなかった。職場に交通整理が必要だ。

208

彼女、どうしたの？

仲の良い男女が月を見ていた。満月だった。月は西の空に動いていた。二人で月を見ながら話をしていた。しばらくして月明かりがだんだん落ちてゆくその時、彼女は何やらそわそわして、平常の状態ではなかった。彼女は何かを失うかも知れぬ気持ちがよぎった。彼女は何を失うかと思ったのか？早い話が、「落ち月」（落ち着き）だった。あたりが暗くなってきて、怖かったんでしょうね。

209

賢い弟子

東京の下町に腕利きの大工が居た。弟子が居たが、若いゆえに遊ぶ方が楽しく、休みになれば出かけていた。ある時、請け負った議員会館の工事現場に区会議員が顔を出し、仕事ぶりを視察した。棟梁《とうりょう》はその議員を指差して弟子に言った。「お前、いいか、あの方のように休む暇なく仕事をしなければ物にはならん」弟子は何かに気が付いた。その後彼は立派な大工となった。あの時の棟梁の言葉は弟子に対して何を意味していたのだろうか。棟梁はそこまでは意識していなかったであろうが、弟子の方が物わかりがよかったようだ。そうあの時、棟梁は「区議を指した」のだ。

釘を刺す　約束違反や言い逃れができないように念を押す。釘を打つ。

210

舐《な》めてはいけない　だが結果は舐めて好かった

ある日本の若手スポーツチームが、海外遠征で宿敵キューバに行った。旅の疲れ、現地での練習の疲れが重なって、選手たちは何か甘いものが欲しかった。食べに行く場所もわからず困っていた。キューバは砂糖の産地。そこで選手たちはやむなく砂糖を舐《な》めた。それでかなり落ち着いた。結果、日本はキューバに勝つことができた。砂糖は何の役割を果したといえるか? 勝ってよかった。「キューバ（急場）を凌いだ」んだ。

急場凌ぎ　事が差し迫っているとき、一時の間に合わせでその場を切り抜けること。また、その手段。

211

鑑定

品評会に出展された絵の中に、ある巨匠のものとされる「鶴が貝を獲《と》っている姿」を描いたものがあった。鑑定人が見るとすぐさまその絵が本物ではないと言った。「これは冗談に描いた絵です」。理由はその描かれた鶴が雁《かり》であるから、作者は仮り（雁）の絵としたのであろうが、貝の上に雁を置いて、贋《にせ》の作品、つまり贋作《がんさく》だと言っているのです。自己申告しながら描いている絵師は、技量は大したものに違いない。

贋作　にせものを作ること。またその作品。

212

悪事の結末

泥棒は風の強い夜に忍び込む。辺りで音がするので気付かれにくいという。それである風の強い夜に、そんな話を聞いていた馬鹿な泥棒が盗みに入って捕まった。当たり前だが、彼は世間の恥に晒された。その時、彼が思い出したのは何かといえば、それまで気付かなかった「風当り」だった。

風当り　世間から受ける批判。かざあたり。

213

夫婦同姓それとも別姓？

1 結婚した女性が、旦那の姓を名乗り、愛し合いながら満ち足りた日常生活を送ると、女性はしとやかで、水も滴《したた》るある動物に似てくると言われる。仲の良い夫婦は互いによく似ると言われるが、別に旦那がその動物のような姿をしているわけではない。そんな羨ましい動物とは何だろう？ 妻は何も感じていないだろうが、そう、「夫姓《おっとせい》」が知らぬ間に身内に入り込んでいる。

オットセイ　アシカ科の哺乳類。

2 ところが旦那の姓は親類・身内の時にだけ使い、対外的には自分の姓を使う女性も、やはりある動物に似てくるようだ。「姓内《せいうち》」とか!!

セイウチ　セイウチ科の哺乳類。

214

あなたはどちらのタイプ?

日常生活の中で、ふとした瞬間に聞こえても語れぬ風景がある。とっさに言葉が出かけて引っ込む。言う方も言われる方も気を遣う。だから抑える。ある日年寄りが椅子から「よいしょっ」と立ち上がった時に、何か籠《こも》ったような音がした。周囲は気が付いていても、平常を装っている。心中に去来する思いは同じはず。その音の原因と結果をどう表現したらいいだろう。そう、フンバルト・ヘーデル。アルプスの高山植物に同じような名前の花がある。サウンドオブミュージックの映画の中でも歌われていたような気がする。ヘーデルワイス、ヘーデルワイス、every morning you greet me……。それから物語にもある。ヘーデルとグレテル。屁が出て、ぐれてるだとか、ヘデラーなんていう名前も聞く。ついでにもう一話。これも年寄りの話になるが、ある時歩いていて突然はっくしょん!!動きが止まった。何か考えているようだ。この仕草の原因と結果はどう表現されるか。まあ、リキムト・チョモレイ。チョモレイ夫人の恋人なんて小説もあった。あれはチャタレイ夫人だったか。クリムトという有名な画家も居た。これ仕方ない事だが、あなたはどちらのタイプですか?フンバルト派それともリキムト派?どちらも外国人の名前にありそうだ。ところで若くても……どうなんだ?すべての人に聞いてみよう。あなたはどちら派ですか?

215

おもてなし?

学生の先輩を呼んでの懇親会があった。企画・実行を任されたのは若い、多少おちゃらけ気味の男だったが、学生は本来金がないから、金を使うより気を使えと他から言われていた。彼は確かに安上がりの場所を見つけ、出費を抑えて金はそれほど使わなかったが、同時に気も使わなかった。友人が聞いた。「何故お前は先輩にため口をきいたのだ?」彼は言った。「気を使え、金を使うな。気金《きがね》を考えたけれど、気兼ねの方向が判らなくなって、結局、両方使わなかった。」

ため口　年下の者が年長者に対等の話し方をすること。1960年代に不良少年の隠語として始まり、1980年代には一般に広まったという。

気兼ね　他人の思わくなどに気をつかうこと。遠慮。

216

ハラにまつわる腹立つ話

ある会社が新入社員研修会を行うために合宿を行った。上野という人が研修指導にあたったが、パワハラ、セクハラ、モラハラ……といういろいろのハラスメントがあって、新入社員たちは怒った。腹に据えかねた社員たちの中にひとり、出身地にあやかったような威勢のいい男が姿を消した。指導者は慌てた。消えた男は実家に帰ってしまっていたのだ。他の仲間たちは彼がどこに行ったかはだいたい見当がついていた。何処かって？伊勢（威勢のいい）原だった。この行為は、世間ではハライセとか言ってよくあることだ。因みに合宿を行った場所も悪かったようだ。何処だって？そう、上野原（上野のハラスメント）。実在するところとは関係ありません。

217

落ち着かない話

律義《りちぎ》で一本気の男が居た。住んでいたのは六本木というから、既に気を持たせる話だが、何と言うことはない。彼の気性と居住地の名前の「キ」違いというだけだ。親の才能を継いだ木彫家だが、木については仕事柄、気を使っていたのは当然だ。気持ち一筋の彼は、どこでも木を見ると気になる。気持ちというのは目に見えないが、木の目は見える。木を見るたびに彼は心動いて気になった。そのたびに自分の気持ちとその木の相性を確かめるのだが、なかなかいいのに出会わなくて、気をもんでいた。何故気をもんでいたのだろうか。その理由は「気が木ではなかった」からだ。

気が気ではない　気がかりで落ち着かない。

218

笑いと身なりは幸せの原点

成人式の日、着飾った男女が大勢である神社の鳥居の前で、嬉しそうに、幸せそうに笑いながら写真を撮っている。これは日本の言い伝えにあるような光景だが、このように建物の入り口で、笑うことが幸せを呼ぶという。その時どんな態度で幸せを迎え入れるか考えたことはありますか?そう、きちんと服を着ていることなのです。笑う門《かど》には服着たるってね。そんな時は福笑い、やましい気持ちがあれば、含み笑い。これは笑うお門違いだ。

笑う門には福来る　明るくにこにこしている人には、自然と幸福が訪れる。

219

熊の湯事情

熊の親子が居た。温泉で二頭が湯に浸《つか》かっていた。母熊が子熊に言った。「いつまでも母さんと一緒に入ってはいけないの」子熊は小さな手で湯の表面を叩きながら母熊に聞いた。「どうしてなの?」母熊は言った。「あなたは男の子でしょ」子熊はよくわからなかったが、「じゃ、いくつまで母さんと一緒に入れるの?」母熊はためらわず言った。「九まで（熊手）」。ところで熊の九才はもう大人だから、そのころは混浴だ。子熊も既に抜かりのない熊であって、「隈《くま》無い熊?」になっている。

熊手　福をかき集める意味の縁起物として、酉の市で売られる。くまでぼうき。
隈無《くまな》し　抜かりがない。万事に通じている。隠し隔てがない。影や曇りがない。

220

気持ちの整理ができない

背の低い、痩せた若い男が居た。気が小さく、しかも石橋を叩いて渡るほどの性格だった。それが理由かどうかわからぬが、女性に縁遠く、だが彼は当然女性には関心があって、まず取り組もうとしたのは、背が多少なりとも伸びる方法を考えること、または多少とも太る方法を考えることであった。だが同時に行なうことは、性格的に無理だった。決めるまでに時間がかかったが、それで結局はどちらを優先したのだろうか。「慎重」(身長)だった。彼はどう見ても「身長派」(慎重派)の人である。

221

田舎のカエル

カエルの種類をどのくらいご存知か?アマガエル、ひきガエル、牛ガエル、殿様ガエル……。ある時殿様ガエルが牛ガエルの背中に乗って、ひきガエルに引かせて田舎から都会にやって来た。道に迷って歩いていたら、アマガエルに出会い道を聞いた。ところが教えた方向が違っていたために殿様ガエル一行《いっこう》は逆の方に行ってしまった。気付いた殿は怒った。「先の尼を呼べ」アマガエルはかけつけ謝った。「お前はわしに知ったかぶりをしたのだろう?けしからん。この田舎者めが」アマガエルは即座に答えた。「いいえ、私、町カエル(間違える)でございます」。殿は何も言えず帰って行った。殿様帰る(殿様ガエル)。

222

微妙な発音

おめかけさんかと間違われるくらい小奇麗な女性が、不動産屋に部屋を探しに来た。東北から出てきたという、多少訛りのある女性だった。以前から、めかけという言葉に敏感に反応していた。韓国出身という不動産屋は、適当な物件を紹介した。彼女は気にいったようで話をまとめようとした。その時不動産屋は「しょうたく（承諾）てすか？」彼女、びっくりして「めかけ（見掛け）によらないでっ!!」それで破断になった。不動産屋は何が何だかわからなかった。

妾宅《しょうたく》　めかけを住まわせる家。

見掛け　外から見たようす。外見。外観。

223

化け物だ～!!

夏になると遊園地にはお化け屋敷が現れる。ここで客を大いに歓迎する出し物は何かといえば、ろくろ首、口裂け女、それから……一つ目小僧、他に何か思い当る物はないか。何と言っても究極は「おもてなし」（面無し《おもて》）だろう。そう、のっぺらぼうだ。オリンピックが間近いが、別にそれに限らず歓迎の態度として、皆が面を被って「面無《おもて》し」で迎えたら、外国人は腰を抜かして驚くだろう。日本人同士だって同じだ。まず人探しは不可能だ。何しろ面に目がなくて、合わせる顔がないのだから、面目《めんぼく》なしだ。そんな状態の顔を、面目丸潰《めんぼくまるつぶ》れとかいっているが、名誉回復のためには、まず面に目をつけて、誰が誰だかわかるようにすることだ。昔から面目を施すなんて、当時の人々はよくわかっていたみたいだ。

面目なし　恥ずかしくて顔向けできない。

面目丸潰れ　体面・名誉がひどく傷ついて、他人に顔向けできなくなること。

面目を施す　評価を高める。体面・名誉を保つ。

224

酢の世界

日常使っている酢。料理用、飲料用など用途、目的によって味が異なる。難しいことは、酢作り専門家に任せることにして、米や粕《かす》から作る穀物酢、果実から作る醸造酢、酢酸を用いた合成酢。三種類ある。ま、そんなことはいいとして、それぞれの味の特徴があって、誰もが日常的に体感している。体に入るとどの酢も同じくキュンと引きしまる思いがする。それで人は言うのであろう。酸味（三位）一体なんて。こんなことをおおっぴらに言えないけれど、隠し味ということで伏せておこう。

225

兄と弟

兄弟同士で仲の良いのは当たり前と思うが、時に仲の悪い場合がある。何となく距離を置いて敬遠している。兄弟だからあまり離れすぎてもいけないし、近すぎても衝突するし、兄弟の関係は承知しながら様子を見ている。そんな時その空間の広さを何と言うのかご存知か？舎弟（射程）距離とか言わないかい？ま、血筋を分けた兄弟だから、いずれ兄の玉、弟の玉、双方から打ち合い合わせて「玉合い（霊《たま》合い）」なんて……分っかるかな？

射程距離　鉄砲の、発射の起点と着弾点との水平距離。弾丸が届く最大距離。

霊《たま》が合う　互いに思う心が一つに結ばれる。

226

餡職人《あん》

和菓子の餡作りでは知る人ぞ知る達人が居た。褒《ほ》められるものだから、どんな豆を使って、どのくらい煮込み、どのように磨《す》り潰《つぶ》し、砂糖や塩のさじ加減など、誰にも作れない餡を作らねばと常に考え、悩み、やがて疲れ果てて、ただ呆然としているだけになってしまった。周囲が困った。このままでは和菓子ができない。それで彼に言った。「とにかく餡を磨《す》り込むことばかり考えていないで、まず作ってみれば簡単なことだと判るから」（こういうのは昔から「餡磨《す》るより生むが易し」とか？）彼は分かったような分からないような気持ちで餡を作り始めた。やがて気持ちがもとに戻り、そして言った。「俺はあの時は、菓子（仮死）状態だった」

案ずるより産むが易し　物事はあれこれ心配するより実行してみれば案外たやすいものだ。

仮死状態　死んだように見えるが、実際には生きている状態。

227

新ビール発表祝賀会

グラスに勢いよくビールを注ぐと、慌《あわ》（泡《あわ》）ってる。それで泡を食う。粗末な駄洒落だから言わなければいいものを、語るに落ちたことを認めて……先に進めよう。あるビール会社が新しいビールを開発し、名前が決まった。社員皆で祝って、割れんばかりの拍手で喜びあった。この拍手はビールのことだけに、麦酒《ばくしゅ》（爆手）であった。そのあとは、皆でグラスにビールを注いで陽気に乾杯し、音頭に合わせて踊った。泡（阿波）踊りだった。泡づくしだが、喋り出したついで言ってしまうが、酒の肴《さかな》は泡ビ（鮑《あわび》）だったとか。さらに深く語るに落ちた!!
でも馬鹿・・しいけど真面目だ。

麦酒《ばくしゅ》　麦を原料に醸造した酒。特に、ビール。

228

頑張れ弱き夫たち

世間には、妻に頭の上がらない夫がかなり居るだろう。そんな夫たちが集まって、情報交換をし、互いに助け合い、力を合わせて頑張ろうとある組織を作った。相互扶助ということならば組合だ。ついた名前が自然に「恐妻（共済）組合」だった。それを知った妻たちが、自分たちは夫を虐《しいた》げているようなことはしていませんと、反撃しながら恐妻組合に殴り込みをかけた。この時点で状況は世間の見る通りであるが、その妻たちの集団を何と言ったか？

「取っ組み合い」。

共済組合　同種の事業または同一の事業などに従事する者の相互扶助を目的とする団体。

229

火事で焼け出され、そして……

葡萄《ぶどう》園を経営している家が、ある日火事になって家族が焼け出された。プレハブの仮住まいに住んでいたが、友人が見舞いに来た。奥さんがお茶を入れたが、添えて出す菓子もなく、仕方なく茶菓子として、枝のついた干し葡萄を出した。「今の私どもはこんな葡萄のような状態で、お恥ずかしいのですが……」友人は葡萄のような状態という意味が解らなくて「葡萄のような状態って?」と聞いた。「はい、木の実、木のままで……」

着の身着のまま　今着ている着物以外は何も持っていないこと。

230

洒落で呼び込むつもりが……

ぐい飲みの瀬戸物市が開かれた。ある激安の店があった。そこの陶器は瀬戸物ではなかったが、商売ゆえに客が来てくれないと困る。そこで人寄せのために奇《き》を衒《てら》って、店頭に戸隠《とがくし》と書いた。戸隠に陶器とは聞いたことがない。店主の駄洒落が功を奏するのか。二個で買うのが当たり前と言って、売る時は必ず念を押した。「本物じゃーないよ」理由は「せともの」から「と」を隠して「せもの」それが二個だから「2《に》せもの（偽物）」ということだった。まあ、店主の良心と認めよう。客の中の一人が言った。「偽物《にせもの》でもいい。もう一個追加してもらえるか。」「これは3《み》せもの（見世物）じゃないし、売り物だからいいだろう。」すかさず別の客が言った。「九つ欲しいけれど……」「客の中に9《く》せもの（曲者《くせもの》）が居るな」集まった人々は「なんだ、4《よ》せもの（寄せ物）か」と言って去って行った。

寄せ物　人寄せのための品（著者）

231

歯医者は四階？

歯医者に行った。ビルの五階にあるはずなのだが、エレベータを降りたら様子が違う。そんなはずがないと、もう一度一階に下りて案内図で確かめた。四階だった。歯科医と書かれていたので四階《しかい》と読めばよかったのに。一階で案内図を見ておけば、五階（誤解）に気が付いたのに。五階（後悔）先に立ってしまった。

232

坊さんはお金持ち？

国会議員で僧職を兼ねる僧侶が居た。選挙の時期が迫っていた。再度当選を狙っているが、選挙には金がかかる。どうにか資金を調達しなければ選挙戦に勝てそうにない。坊さんだから頼る手立てはたくさんあるのだろうが、まず思い立ったのは何か？「賽銭」（再選）だった。

233

「かむ」話し

恥ずかしそうな顔をする時「はにかむ」という。寒くて手の指先が動かないことを「かじかむ」という。温暖化の影響で、かじかむ経験がなくなれば、この言葉も消滅するかも知れない。ところで何をかんでいるのか。ずっと以前に、ハッピーカムカムなんていって幸せを呼び込もうとした過去があったが、実際富を呼び込んだ人の別例として、別カムというサッカーの有名人が居る。苦しい駄洒落で申し訳ないが、ただ裕福な人は決して自分が豊かであるとは言わない。それは奥ゆかしく、大人としての礼儀である。人前で、はにかんだり、寒くて指が、かじかんだりすることもなく、堂々としている。どうして彼らは平気を装うことができるのであろうか。彼らはそうするすべ、すなわち「かむ」を知っているのです。それってカムフラージュとか言うのと違いますか?

カムフラージュ（camouflage）　表面をとりつくろって、人の目をごまかすこと。

234

新型コロナウイルス

1

新型コロナウィルスが蔓延《まんえん》し、ある町では人が見られなくなった。この町を通る一本の道を進んだのだが、行けども、行けども人が居ない。人を探しながら、最終的にこの辺《あた》りに来れば人が見える頃だろうと予測した。この町には道路が何本かあって、端の道1から順番に道2、道3、道4、……という具合に呼ばれた。人を探しながら進んだこの道は何番だったか？　道2に決まってる。ルート2だ。人よ、人よに、人見頃。

ルート2（$\sqrt{2}$）　ひとよひとよにひとみごろ

ルートは道（フランス語 route）だが、本来は英語（root）で根《こん》。

2

ついでに言うと、ひとなみにおごれ（人並みに奢れ）なんて脅迫めいた道や、ふじさんろくおーむなく（富士山麓オーム鳴く）なんて、富士山の麓でオームが鳴いたとか叫んだとかいう変な道（ルート）があったが、それが何番の道なのか、まあ……言わないどこ。

235

本にまつわりつく思い

無尽蔵に本がある。その数だけ著者が居る。すごいことだ。人は誰もが「考える人」だ。ロダンであり、その中に「冗談の人」も居る。段々話が怪しくなってくるが、1000冊本を持っていれば、1000人の見知らぬ友と共に居ることである。本を読まない人は、「本のひとにぎり」。しかし本を読み過ぎて、最後に気持ちがおかしくなって病に伏すのは「本末転倒」。そんな時はロダンも冗談も関係ない。疑うなら聞くとよい。(本に当たって)本当ですか?

当たる　体に害を受ける。暑さに当たる。

236

賭け

人気あるライヴコンサートでの席取りは大変な事。事故の起こらない安全な位置と、我先にと皆が殺到し天罰を受け、怪我しそうな場所がある。皆さんはどのようにして席を取りますか?こんな時は、どちらがいいかと迷っている場合ではないでしょう。「位置か罰《ばち》か」やってみるしかないでしょうね。

一《いち》か八《ばち》か　結果はどうなろうと、運を天に任せてやってみること。のるかそるか。
ばくちの用語で、丁か半かの「丁」「半」の字の上部を取ったものとかいう。

237

男の事情

父親の会社を継いだ息子が、経営不振でついに破産ということになった。その時息子はつぶやいた。「倒産……」（父さん）。息子には子供が一人いた。子供の将来のためにも早く立ち直らねばと、いろいろ考えたあげく、結果はどうなったか。遅々（父）として捗《はかど》っていなかった。女房は我慢していたが、夫に不甲斐なさを感じ、離婚を申し出た。その時言ったのは、「もう妻にならない」（つまらない）。そして彼は呟《つぶや》いた。「もうこれ以上、恥はかか（母《かか》）さんでくれ……」

238

人は人の世界で生きる

ある祈祷師《きとうし》は全く髪の毛がなかった。信頼度も薄く、仕事も殆どなかった。ある時、何を思ったか、長い髪のかつらをつけた。霊力を呼び込む演出とも思えるが、周囲の人々は、そのためにこれまで以上に近づかなくなった。彼らはその祈祷師がどうなったと思ったのだろう。当然、「髪がかかった」

神懸《かみが》かる　神霊が人のからだに乗り移る。

239

夜桜を見る会

ある会社で夜桜見物をしようということになり、参加者を募り会費を集めた。名簿ができ、会費が集まった。花見は無事に終わったが、後に決算報告が曖昧で、ある社員から質問があった。社員の積立金の一部が使われたらしいのだが、報告書には載っていなかった。残高0になっている。この決算に対する返答は、寄付があってどうのこうのとはっきりしない。管理職が招待されていたこともあり、不信感は増した。質問は筋が通っているのだが、のらりくらりと逃げられた。質問者は「筋が通れば、道理が引っ込むのか」と食い下がった。またかとばかり、諦《あきら》め顔の社員が言った。「それは筋違いで、無理でしょ?」。やはりいつの時代も無理が通るものらしい。

無理が通れば道理が引っ込む　道理に外れた事が幅をきかすようになると、正い事が行われなくなる。

240

将棋（正気）の沙汰か？

初心者の将棋戦があった。互いに駒を取りためていたが、王手をかけられて、防戦に必要な歩《ふ》を指そうとしたが、手にない。漏らしたひとこと「ああ、歩《ふ》が居ない」（不甲斐ない）。それでもうすべ無しと、「歩《ふ》に落ちた」（腑に落ちた）。

不甲斐ない　情けないほど意気地がない。まったくだらしがない。
腑に落ちる　納得がいく。合点がいく。

241

木から学ぶ

ある日、一本の木を見ていた。人の社会が見えた。と思った瞬間、気になって、木が木でなくなる（気が気でない）。光が良く当たる葉もあれば、日陰の葉もあり、それが一葉（一様）ではない。若葉あり、枯葉もある。だがすべての葉は根から同じ樹液をもらって生きている。一本の木がすべて共同体だ。木が天に向かって自由に葉を広げ、枝を伸ばすその様は、諸手を天に差し伸べて「オーマイゴッ!!」。木が教えてくれる人の生き方、「木まま」（気まま）に生きろって。

242

植木職人の腕

植木屋に庭木の手入れを頼んだついでに、渋柿の台木に甘柿の接《つ》ぎ穂を接《つ》ぎ木してもらった。一年たって植木屋が、庭木の手入れのために戻ってきたが、接いだはずの木の前を素通りして行ってしまった。依頼したその家の主人が言った。「木が接《つ》かなかったのだ」。（気が付かなかった）

243

和装

和服は左の衽《おくみ》を上に出して着るのは日本人の知るところ。ある事業経営者の話だが、事業がはかばかしくなくても、見栄っ張りの男が居た。ある時、着なれない和服を、鏡を見ながら何とか様になるように着てみた。和服の着方について右前とは知っていた。一応着込んだが、見栄っ張りだから外出して、颯爽《さっそう》と歩いた。彼のことを知るご近所さんは、彼の事業について噂した。「左前《ひだりまえ》」なんじゃない？

左前　運が傾くこと。経済的に苦しくなること。
　相手から見て、左の衽《おくみ》を上に出して和服を着ること。
右前《みぎまえ》　左の衽を上に出して和服を着ること。

1 244

目は体《たい》を表す?

碁会所での話。男性二人が碁を打っていた。姿美しき女性が傍らで見ていた。女性も碁に詳しいようで、じっと碁盤を見つめていた。時々、片方の男性の方を見ては何かを言いたそうなふりをした。言葉は出さない。思いを寄せているのか、しきりに色目を使っているようでもあった。女性は傍観しているから碁の動きの変化も冷静に観察できた。八目《はちもく》先まで読んでそれを秋波《しゅうは》に乗せて念力を彼に送って応援しているかに見えた。その時の彼女の顔を見て、人が言った。「おかめだ(傍目《おかめ》、岡目)」

おかめ　おたふく面のような顔の女性。
岡目八目《おかめはちもく》　第三者のほうが、物事の是非得失を当事者以上に判断できるということ。
秋波　美人の涼しい目もと。また、女性のこびを含んだ目つき。流し目。色目。
秋波を送る　異性の関心をひこうとして色目を使う。こびを送る。

2　衰える日本語？（実話）

若い人に、色盲の読み方を聞いたら、「いろめくら」と言った。この場合、色は「しき」と読んで「しきもう」だと教えて、次に色目を聞くと、「しきもく」と読んだ。意味はと聞くと、分からないという。「いろめ」だと言っても分からない。秋波と言ったらお手上げだ。流し目と言ったら、涙でも流している目を想像するかも知れない。

245

星の差別？

夜空に星が輝いている。とても明るく輝いている星は生き生きとして、聡明そうに見える。すぐに返事でもしてくれそうである。何かを語りかけてきているようでもある。星は明るさの順に一等星、二等星……と区別されるが、光のよく見えない星は何という？劣等星。こんな死にかけているような星にも、宇宙では立派な存在。その星を立ち直らせるとして、ある手段を講じれば、それを何の手段と呼ぼうか？そう、「起死回星（生）」とか聞いたことないか？わかって星（欲し）い。寒《さぶ》っ！

起死回生　滅びかけているものや絶望的な状態のものを、立ち直らせること。

246

よく解らない話。

動物園で、獺《かわうそ》のような動物が居た。ある来園者が「あっ、かわうそだ」。飼育員に聞いた。「あれは獺《うそ》ですよね」飼育員は自信ありげに「そう、うそです」本当に獺《かわうそ》だったのか？

獺《うそ》　カワウソの別名。おそ。

247

蟻と鯛焼き

ある夏の暑い日だった。一匹の蟻が、蟻ったけの力を振り絞りながら、冬に備えて餌を運んでいた。腹がへっていた。たまたまなのか、話の展開のためなのか、行く手に鯛焼きが落ちていた。周りに仲間は居ない。こんなこと蟻得《ありえ》ないことだと思いつつ、蟻は鯛焼きにかぶりついた。元気が出た。蟻はその時初めて、「蟻が鯛」を感じた。この蟻はなかなか律義《りちぎ》で、仲間を呼びに巣に戻ったが、9匹を連れて戻ってきた。そして鯛に報告した。「蟻が10《とう》です。」その時、鯛は言った。「私はみなさんのお役に立つほど鯛した者ではございません。蟻はすぐさま返答した。「身を挺《てい》してのおもてなし、もっ鯛のうございます」。鯛はその後、蟻に食われてどうなったかというと、鯛調《たいちょう》不《ふ》良《りょう》を起こしたという。この辺で。

248

カラオケはもう流行らない?

カッコウという鳥を御存知だろうか。声の澄んだ鳥だが、自分では巣を作らずに、モズやホオジロなどの巣に托卵《たくらん》する。ひなは早く孵化《ふか》し、仮親《かりおや》の卵を巣の外へ放り出す習性があるという、名前と声の響きはいいが自己中の鳥だ。そんな生き方に対して、「カッコウいい」というお方もあろう。いや、親の子供放棄だから「カッコウ悪い」というのが自然だろう。人社会の中にもカッコウのような生き方をする人が居る。そんな人で、歌の上手な女性がカラオケ店を開いた。店の名前は「カッコウ」。BGMはカッコウワルツ。客は何故か少なく、時には誰もいなかった。どうした?そう、店は「閑古鳥《かんこどり》」(カッコウ)が鳴いていた。

閑古鳥　カッコウの別名

閑古鳥が鳴く　客が来なくて商売がはやらないさま。

249

現代医療診察事情

2～3年前から蓄膿症に罹《かか》ってしまった人が、ある耳鼻咽喉科の医師に診てもらった。医師はそっと鼻に手を触れて言った。「ちく3年ですね。」患者はたまたま3年前に引っ越してきて家を建てた。「先生、私は3年前に家を建てたのですが、鼻を診ておわかりになるんですね？」医師は言った。「はい、このようなちくは私が診ていますので……」患者は何か変だと思いながら「ああ、そうなんですか。それで私の鼻の具合はどうなんですか？」「そう、まだ日も浅いし、これからシーケンシャルアクセス（逐次呼《ちくじ》び出し）をかけて対処しましょう。」医師はパソコンばかり見ていて患者と向き合わない。それで頭の中の回路がずれたらしい。頭が機械化されている。そういう医者の態度が最近話題に上る。「医師頭《いしあたま》」といって、会話力に欠けるかも知れない。

石頭　融通がきかず、考え方がかたくなであること。また、その人。

逐次《ちくじ》呼び出し（シーケンシャルアクセス）
コンピューターの記憶装置に納められた情報を順に検索していって、目的とする情報にたどり着く方式。逐次アクセス。順次アクセス。順次呼び出し。

250

見える人が居る？

ある男が夜道を散歩していた。はっきりしないが、遠くの暗闇の中に何か光るのを見た。慌ててスマホで撮って、未確認飛行物体としてユーチューブに載せた。閲覧者が多く、話題となった。何処で見たのかと問われて、言った答えが悪かった。それで信用を失くした。何と言った？「ユーホ道《どう》」馬鹿なことを言う奴だと世間は冷たかった。しかしこの男、世間が「言うほどう」馬鹿でもなかったようだが、未確認だ。

遊歩道　散歩のために作られた道。

251

本当の姿を見せて欲しい

世を忍ぶ仮の姿で生きている人が居る。人の世界に限らない。動物の世界にも自分の姿を偽って生きている動物が居る。その動物がある時、人に尋ねられた。「貴方の本当の姿は何なのですか?」―「この私はご覧のように仮の姿なのです。」―「えっ?ウッソー!」―「はい、ウソなんです」―「???」

獺《うそ》　カワウソ（獺《かわうそ》）の別名

252

粋な日本酒？

観光で人気のある町、下呂《ゲロ》。そこに酒造りの職人が酒蔵を立ち上げた。世間には何代も続く酒蔵として名を馳せるものが多いが、彼にはまだ「代々続いた」という言葉が無い。新酒ができ、試飲会をして人を集め、酒蔵界に仲間入りをしようと思った。商標は「下呂」。あまり響きが良くないが、逆効果を狙った。人が集まった。だが評判は決してよくなかった。人は言った。「この酒は、名前負けして、しかも代（台）無しだ（代々続いていない）。」この酒評は辛口だった。

下呂　嘔吐すること。へど。

台無し　物事がすっかりだめになること。また、そのさま。

253

技《わざ》と成績　大層（体操）役立つ話

体操で頑張っている選手が居た。指導教官の口癖は「優れた選手の技をよく見て、自分も試し、それ以上の努力をしないと、優秀な成績は得られない」。それを真面目に受けた選手は心に銘じて繰り返した。「技《ぎ》（義）を見てせざるは優《ゆう》（勇）無きなり」。指導教官は複雑な気持ちだった。

義を見てせざるは勇無きなり　人としてなすべきことを知りながら、それを実行しないのは勇気がないからである。

254

コロナウィルス

関東の農業高校（男子）と東北の農業高校（女子）が農作業交流を行うことになった。それで新幹線を使って移動することに決まったが、新型コロナウイルスが発症し、急に取りやめになった。理由は感染（幹線）を考えた時に、濃厚（農耕）接触の危険があるからということだった。生徒が教師に聞いた。「どんなウィルスなのか？」教師は言った。「コンなウィルスだ」。生徒は「ああソンなウイルスなのか」と言いながら、理解するはずがなかった。更に聞いた。「農耕（濃厚）は必修なのにだめなのか？」。教師は言った、「お前たち、そんなに女性に近づくな」。生徒は余計に解らなかった。教師は生徒に説明したものの、自分でも判らなくなった。それで気分転換にコーヒーを飲んだが、味までも判らなくなった。ただ舌に接触した時に、濃厚さだけは判った。後味《あとあじ》は生徒も教師も、まだ感染確認はしていないが、無味だった。

コロナウィルス　ヒトに蔓延している風邪のウイルス4種類と、動物から感染する重傷肺炎ウイルス2種類が知られている。（ネットより）

無味　おもしろみがないこと。うまみがないこと。

255

翌日は晴れ、雨？

落語の大好きな気象予報士が、テレビで天気予報を発表した。「明日はばかばかしい天気になるでしょう」視聴者はどんな天気なのか解らなかった。電話が殺到した。予報士は即座に答えた。「下《くだ》らないでしょう」。それでも視聴者は晴れ晴れとしなかった。

下る　雨などが降る。

256

言わんこっちゃない

露天風呂の入り口で、大きく書かれた「入浴の際は、必ずタオルで身を包むようにしてください」という注意書きを横目に、女性たちはまるで平気の平左《へいざ》で湯に浸《つか》かった。ドローンが飛んできて、パチパチと音がした。写真を撮ったような音だった。若い女性たちは悲鳴をあげて騒いだ。御年《おんとし》を召したご婦人方は動じることもなく、「ヤーね」（屋―根）。宿の主人は言った。「空みたことか」

それ見たことか　忠告を聞かずに失敗した相手などにたいしていう言葉。それ見ろ。

257

髪頼み

出家《しゅっけ》した男が、剃髪《ていはつ》してもらった。最初からツルツルになるのは嫌だった。それでどこかに気持ちだけ毛を残してもらうべくお願いした。仏道は甘くない。それで髪が剃り終って鏡を見たら、毛の具合はどうだった。毛何《もう》もなかった。

258

人は新幹線より速い？

日本で最速の新幹線は「のぞみ」。人を運ぶ。それでは世界で最も早い「しんかんせん」といえば、「コロナ（新感染）」。これは人が運ぶ。この「しんかんせん」が2020年に、空と海をも介して瞬く間に地球を走った。人の移動は「のぞみ」次第ということが分かった。だが、望まないことが起こってしまった。ところで、この危険な現代病をずっと昔に予測していた人が居た。海と空を危険経路として、いつも個人的に監視していたらしく、自分の名前にしてまで周囲に警戒を呼び掛けていた人物だ。空海とかいう人をご存知か？えっ、あの人が？と思い当る人物は居ると思うが、そう（僧）だと思いますか？

のぞみ次第　望みにまかせること。望みのまま。

259

何を考えてる？

ある宴会でのこと。乾杯の音頭を指名された男が立ち上がって話し始めようとした。ちょうど目の前に幾分胸を露《あら》わにした女性が座っていた。彼は何を見たのか、「オン杯《ぱい》の指名を受けたので……」男性たちは笑ったが、女性たちは苦《にが》り切った顔をした。とんだ失杯（敗）だった。男と女はポンポン的に違うのだ。腹上のことだけにハラ（腹）スメントになるのか。男にとっては心に引っ掛かる。だがそんなことはもう考えないことにしよう。心パイ（配）停止ということで。

260

いい人なのに

状況を想像して頂きたい。軍隊の整列訓練で、指揮官が隊員を右に向かせる号令。「右向けー……」と言いながら、その時隊員の向く方向の左手をあげた。それで自分の左手に気を取られ、「左っ!!」と言ってしまった。隊列は右をを向く者、左を向く者、慌てる者。指揮官は手を揚げる必要はなかったのだが、親切のつもりの好意が徒《あだ》となり、降格となった。左右の内、左を選んだが故の「左選」だった。

左遷　低い地位・官職におとすこと。

261

相性が悪いと返事もいい加減

ある患者とはどういうわけか向き合って話すのが嫌いな医者が居た。その患者の胸のレントゲン写真を撮った。雲がかかったような影が出た。「綿のような雲がかかっています」ふざけた患者は「昨日、綿菓子を食べたのが残ったのでしょうか?」―「……かも」―「えっ‼先生、本当ですか?そこまでわかるんですか?」―「そう。体は本人が一番分かっているから……」この医者に欠けていたのは患者との「医師（意思）疎通」だった。患者は何食わぬ顔で立ち去った。

意思の疎通を欠く　気持ちが通じない

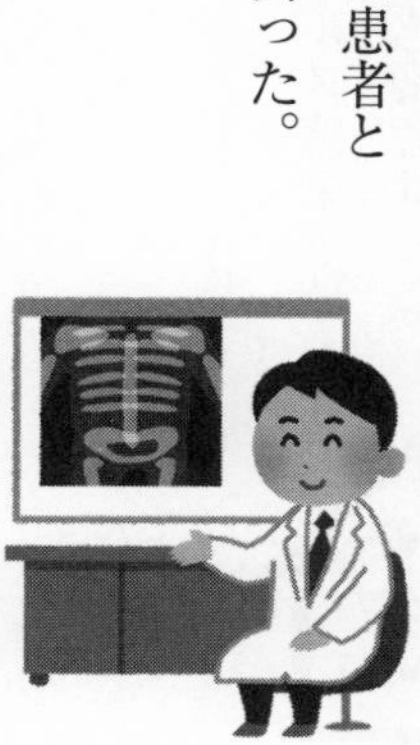

262

産婦人科での出来事

コロナウィルス感染を疑った妊婦が、医院に行ったら、ウィルス感染予防のため休院という、よくわからない知らせが貼られていた。感染者はどこに行けばいい？妊婦は医師に診察容認を頼んだが受け入れてくれなかった。医者が言うことに「私は産婦人科で避妊（否認）専門なので……」

否認　承認しない

263

体は小さくても大物か？

背の低い小柄のサンタクロースが、若いころからクリスマスの時に、子供たちに贈り物を届けてきた。その間、黙々と奉仕活動をしてきた。やがて年取って周囲に認められ、大物として表彰された。大器晩成といって称賛されたが、本人は「私はご覧のとおり、大器ではなく、背も小さくて小器です……」と言って挨拶は無事に終わったが、その後祝い酒を飲み過ぎて、羽目をはずして、近くにあった小さな器を壊してしまった。祝賀ムードが思わぬ展開になった。周りは心配して言った。「小器（正気《しょうき》）のサンタ（沙汰）か？」

正気《しょうき》の沙汰　その是非が問われるような行為。

264

かわいい娘

父親が小学生の娘に聞いた。

「幸せってわかるかい？」―「わかるよ。この間、先生が教えてくれたの」

「どうやって？」―「先生が優しく手を取って……」

「えっ？どんな風に？」―「一生懸命によ」

「それでどんな感じだった？」―「こんなかんじだった」

と言って娘は、「幸」の漢字を書いた。

265

製紙工場

製紙工場を見学した。厚手の紙と薄手の紙を作る作業場が異なる。厚手の方は、ばりばり働く若手従業員だ。薄手の方はどちらかというと、作業にゆとりのある熟練従業員だ。紙（髪）の薄さの状態によって作業場を分けている。この案内者は普段は薄手の方に居るという。だが髪は自然に見える。単に勤続年数を重ねて、薄手の方に移動したのか。この工場では、若くして入社した時は厚手、だんだん時経て行くうちに薄手に変わってゆくという。そしてこれ以上薄手の紙はもうないという最終作業の人は、すっかり禿げている。もう紙（髪）がないということだろうか。どうしてこんなことがあるのだろうか。偶然か、それともハラスメント規定でもあるのか。誰が決めるのかと案内者に聞いたら「神（髪、紙）様でしょうか？」見学が終わって、名刺の交換が行われた。年配の案内者の名刺には「鬘《かつら》……」という苗字が輝いていた。

266

核を潰《つぶ》せ

便利な世の中になった反面、手の込んだ犯罪が多くなった。例えば振り込め詐欺、アポ電詐欺……いろいろあるけれど、犯罪には必ず中核が居て、組織的に悪事を働いている。まず集団詐欺事件を無くすには、その中核を分散させることだ。核散とか言っている。核というと国際的には核拡散防止。ところが詐欺団については核拡散推進。大事なのはここから。詐欺団の中核の連中が、警察が来るというので身を隠そうということになった。彼らは男女の絆の固い集団だったが、とりあえず皆がばらばらに散ったのであった。このことは警察の意図とすることでよかった。だがしばらくして、彼らは別れた相手を慕うようになった。警察は変わらず鬼のように行方を追っている。彼ら、中核の連中は一体何をしているのだろうか。「核恋慕《かくれんぼ》」

恋慕　特定の異性を恋い慕うこと。
隠れん坊　子供の遊びで、鬼を一人定め、他の者が物陰に隠れているのを鬼が捜し出し、最初に見つけられたものを次回の鬼とするもの。

267

競技場に客が居ない‼

２０２０年の年明けは、新型コロナウィルスの感染で世界中が恐怖に包まれた。大きなイヴェントは中止され、ただスポーツなど観戦客をゼロにして、試合だけをするという前代未聞の事態が生じた。確かに相撲、野球……など試合観戦する客が居ない。テレビ中継は行われる。やがてコロナも終息し、それで観戦客有りの試合ができるようになり、人が戻ってきた。この時行われた試合は何と呼ばれたかというと、「無感染客試合」だった。無感染客試合を行うと聞いた人は、「えっ‼まだ無観戦客？」最初、よく解らなかったようだ。

268

触れてもいけない、近づいてもいけない

人と握手するのも怖い。話をするのも怖い。そうすることが良くないという。これは接触不良とかいって、コロナ対策のこと。電気の話ならば、きちんと接触しなければならない。こんなことが話題になっているが、いつどんな問題が起こったかというと、細菌（最近）ということだ。詳しく言うと細菌（最近）ではなく、もっと以前のものらしい。ある偉い感染症研究者に聞いた。「コロナは人の体の中で増殖するのか?」研究者は大きく息を吸って答えた。「肺（ハイ）」。更に聞いた。「それをいちコロにするワクチンはないのか?」。すぐさま答えた。「ワクチンができればチン静（鎮静）です」。

ウイルス　生物と無生物の中間形とされ、大きさは20～300ナノメートル。
細菌　原核細胞を持つ単細胞の微生物。
細菌ウイルス　細菌に寄生して増殖し、菌体を溶かす一群のウイルス。

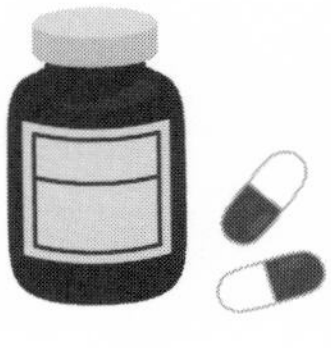

269

コロナのとばっちり？（2020年）

春になると春闘とかいって職場がざわめき始める。盛んにベアだ、ベアだと言って騒ぐ。熊が民家の近くに現れたというのではない。ベースアップつまり賃金の基準を引き上げるために、ストライキを行ったりする。この年は景気が悪化して、ストライキをしてもキリがないからストをストップしろとスト切りを提案した人物が居た。苦しい状況下で「切りスト」が誕生した。ずっと昔、禁欲的（ストイック）で世界的に有名になった人物が居るが、その人とは関係ない。

270

スポーツマンは優しい？

陸上競技の投擲《とうてき》種目のうち槍投げの名手がいた。腕の力は人並み勝《すぐ》れていた。だが彼は自分で槍を持ち歩くのを嫌って、荷物運び屋を雇った。彼の性格は、かなり投げ槍（投げ遣り）なところもあったが、一方で他人の心情を察する優しい気持ちも持っていた。そんな彼だから運び屋は、彼の荷物を運ぶ時、粗相《そそう》のないように人一倍気を遣《つか》って「槍（遣《や》り）きれない」気持ちだった。荷を運んでいる最中に、それを察した彼は、ひとつ荷を運び屋から受け取って、自分で運んだ。それが何であったかというと「重い槍（思い遣り）」だった。彼は投げ槍（遣り）の人であったが、「槍っ放し（遣りっ放し）」はせずに、槍は手元に持っていた。それで彼は後々まで「あいつは槍手」（遣り手）だと言われた。

投げ遣り　物事をいいかげんに行うこと。

遣り手　腕前のある人。敏腕化。

271

人は孤独だ　夢見てわかる

夢見る脳は、知らない世界を見せてはくれない。明け方に夢を見ていた。知人の女性が現れて、私はその人を別の人に紹介した。苗字《みょうじ》が思い出せなくて「この方は妙子さんです」その女性が言った。「妙子です。宜しく」目が覚めて思い出した。その人は千明さんだった。妙子さんは何故その時「いいえ、千明です」と言わなかったのだろうか。私に気を遣ったのだろうか。まさか。夢の中では、物事は自分が知る範囲内でしか展開しない。夢の中で外国語が話せても、知っている言葉以外のものは話せない。夢見ている脳は、夢脳《むのう》といって能力無し。夢脳は無能に等しい。だがこんな経験をお持ちの方もおありだろう。数学の難しい問題が解けなくて、真っ暗な気持ちで寝たのだが、明け方夢の中で「解けた!!」。その瞬間、がぱっと起き上がった。こんなことは誰もが経験していると思う。何故なら昔から、「夢真っ暗に立つ」ということをよく聞く。

夢枕に立つ　神仏や故人などが夢の中に現れて、ある物事を告げる。

272

よくわからない

日本語は理路整然としているのか、奥深くて迷路なのか?例えば名詞に「～する」をつけて「仕事する」という。仕事の中に動作を含んでいるといえば確かにそうだが、「お茶する」は?お茶は飲むのであって、するものではない。時の流れというものか。かって「煙草する」というのが流行った。ところで動作と作動については「～する」はともに可能か、それとも……さーどうかな?

273

人間コンピューター

算盤《そろばん》が得意で、勉強はまったくしなかったが、計算の天才と言われた男が居た。とにかく速い。頭の構造が普通とは異なり、誰もが彼の異才に目をつけていた。ただ勉強は一切しないので、評判はいまいちだったが、それでも世間は彼を評価した。何と言って？「彼は不学だ」

富岳　一秒間の計算回数が41京《けい》以上という世界一となったスパコン。理化学研究所。２０２０年6月。

こういう人は歴史の中で時々現れる。例えば江戸時代に富士山を多角で描いた人が居た。今日の東京都葛飾区の北西に住んでいたかというと、生れは墨田区だったらしい。誰だかもうお分かりだ。葛飾北斎さんは富嶽36景を描いたが、脳裏には無限の富士絵が36京《けい》以上も浮かんで、混乱していたかも知れない。

この辺で顰蹙《ひんしゅく》を買う前に、三十六計逃げるに如かずということで、退散。

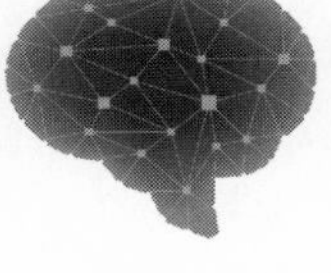

あとがき

ことば遊びの面白さは尽きない。前書「捩《もじ》り遊び日本語」では問答形式にしたが、一部の方々から難しくて疲れたというご批評を頂いた。笑ってストレス解消を狙ったものの、それでは逆の効果になってしまった。そこで本書は、読み流し、受け流しの形式に改めて、読者の方々には後《あと》引きなく笑って、楽しんで頂けたらと思う。

筆を走らせながら、クスッと笑ってしまうものもあれば、馬鹿らしくて自分は何をしているのだろうかと呆れたりもした。側近からは「そんなのではなく、別の物を書いたらどうか」という絶望的な忠告も貰《もら》って、多少気落ちすることもあったが、決めた心は変えられず、馬鹿を承知で走らせた。だがどこかで真面目に考えている自分が居ることに気が付いたのは不思議だった。ことば遣いの確認に、これほど国語辞典を見たことは今迄にない。しかし日本人ならば当然のこととつくづく感じたのは、今さらながら恥ずかしい。日本語は数多くの言語の中で、最高に文字文化を内包するすばらしい言語であることも体感した。漢字の機能は記憶のためには素晴らしい発明品である。同音異義語の多様性と造語力は無限で抜群である。アルファベットを使った言語にそれほどの力はない。ことばで遊べるということは、生活の潤滑に結びつく。ジュンカツよりも潤滑の方が、潤と滑の風景が見えて記憶に寄与する。

本書をご覧頂いた方が、いつかどこかで生活の予想もしないところで潤滑の風景が見えたと感じ

て下さったとすれば、私はとても嬉しい。（筆者）

本書を出すにあたり、朝日出版社の近藤千明様からは常にご丁寧なご教示を頂き、対処することができましたこと、心より御礼申し上げます。

2020年4月

小島　慶一

本義説明は、デジタル大辞泉　小学館（CASIO EX-word DATAPLUS 7 XD-N 7200）による。
それ以外はネットによる。

著者紹介

小島 慶一（こじま　けいいち）

聖徳大学名誉教授（専門　音声学、フランス語学）
元青山学院大学非常勤講師
元上智大学非常勤講師
元早稲田大学非常勤講師
元中央大学非常勤講師
元東洋英和女学院短期大学非常勤講師
元女子聖学院短期大学非常勤講師
元駒澤大学非常勤講師

詩（思い巡らした日々）

　1　思索してますか（文芸詩集　平成９年７月　近代文芸社）
　2　船長《ふなおさ》日記　～ゆるり・ふらり～（写真詩集　平成25年２月　朝日出版社）

ことば遊び（笑いを作り出す。洒落問答）

　1　捩《もじ》り遊び日本語　～テキトウでアイマイな日本語クイズ（2019年５月20日　朝日出版社）

人を観察したら・・・

　1　妖怪だー！！！（エッセイ　平成12年７月　文芸社）（絶版）

フランス語の発音練習に欠かせない本

　1　やさしいフランス語の発音（2015年３月30日　第７刷　　株式会社　語研）
　2　超低速メソッド　フランス語発音トレーニング（平成25年２月　国際語学社）（出版社が突然消えて、絶版）

言語音声に関する総合的な本（生理、理論、音響　など。参考書）

　1　音声ノート――ことばと文化と人間と――（2016年３月31日　朝日出版社）

話し言葉に関する本当に大事な本（ことば生成についての実録報告。研究書――日本語・フランス語版――）

　1　発話直前に想起される音声連鎖の構造
　――フランス語学習者を例として、心象音声の応用――（2017年１月10日　朝日出版社）
　La structure de la séquence phonétique remémorée lors de l'émission
　――esssai d'application des images phonétiques à l'apprentissage du français――
　(études phonétiques écrites en français. le10 janvier, 2017. Librairie Asahi Shuppansha.)

その他

学術論文	20	辞典など共著	2	日本語方言の母音共著	2	教科書	4
学会発表	5	共同発表	2	フィールドワーク国内	24	国外	9

笑うかどうかに福来たる

お洒落に笑って大笑わ
馬鹿・・しいけど大真面目

二〇二〇年十月三十一日　初版第一刷発行

著　者　小島慶一

発行者　原　雅久
発行所　株式会社　朝日出版社
〒一〇一-〇〇六五　東京都千代田区西神田三-三-五
TEL　〇三-三二六三-三三二一
FAX　〇三-五二二六-九五九九

DTP　株式会社フォレスト
印刷・製本　協友印刷株式会社

ISBN978-4-255-01210-0 C0095